比《佐贺的超级阿嬷》更温馨感人，比《窗边的小豆豆》更轻松逗趣！

"傻孩子，如果人生都是如你的意，你会无聊到哭出来吧。"奶奶说，"人生总是在转角处遇到美丽的风景，不要泄气。"

少年励志小说馆

Youth Inspirational Fiction Section

小村庄的天空

刘晓慧◎著

长江出版传媒 | 湖北少年儿童出版社

图书在版编目(CIP)数据

小村庄的天空 / 刘晓慧著. —武汉：湖北少年儿童出版社，2012.11
（少年励志小说馆）
ISBN 978-7-5353-7780-7

Ⅰ.①小… Ⅱ.①刘… Ⅲ.①儿童文学—中篇小说—中国—当代 Ⅳ.① I287.45

中国版本图书馆 CIP 数据核字 (2012) 第 266627 号
著作权合同登记号：图字 17-2012-166

原书名：《祖孙情》作者：刘晓慧
本书通过四川一览文化传播广告有限公司代理，经台湾文房文化事业有限公司授予海豚
传媒股份有限公司中文简体版版权，由湖北少年儿童出版社独家出版发行。
版权所有，侵权必究。

Youth Inspirational Fiction Section 少年励志小说馆　**小村庄的天空**

刘晓慧 / 著
责任编辑 / 王桢磊　黄　穗　文　佳
美术编辑 / 胡金娥　装帧设计 / 钮　灵
封面绘画 / 张小台
出版发行 / 湖北少年儿童出版社
经销 / 全国新华书店
印刷 / 深圳市福圣印刷有限公司
开本 / 889×1194　1/32　6.25 印张
版次 / 2015 年 7 月第 1 版第 5 次印刷
书号 / ISBN 978-7-5353-7780-7
定价 / 13.80 元

策划 / 海豚传媒股份有限公司 (15060928)
网址 / www.dolphinmedia.cn　邮箱 / dolphinmedia@vip.163.com
咨询热线 / 027-87398305　销售热线 / 027-87396822
海豚传媒常年法律顾问 / 湖北珞珈律师事务所　王清　027-68754966-227

把最温暖的成长关怀献给孩子

黄艾艾

大约七年前，因为一部快乐有趣的法国儿童动画片《Sam Sam》（中文译名《闪闪小超人》），我结识了出品这部动画片的法国著名出版社——巴亚出版社（Bayard）负责亚太区的版权编辑。我注意到，巴亚出版社的电子书目上，每年都会增添一两本最新的平装少年小说封面。那些封面上的男孩女孩，看上去都是心事重重的样子。

我请懂得法文的朋友给我讲述了这些小说的故事梗概。原来，这些故事都很特别，涉及了少年成长中可能遇到的种种难题、挫折和困惑，例如生活的突然变故，身边最亲的亲人过世，离开小时候熟悉的环境而迁居到了陌生的地方，父母亲的离异，身体的残障，心理的孤僻和自闭等等。显然，这是一套十分温暖贴心的"成长关怀小说"，中国的儿童文学作品里，还比较少见这样的能够帮助孩子们去解决具体的成长困惑的作品（当然，我们后来也有了像黄蓓佳的《我飞了》、《你是我的宝贝》这样同类型的儿童小说）。

"少年励志小说馆"已出版了第一辑六册：《请为我骄傲》《秘密楼阁》《爱的手势》《谁拐走了外公》《早安，莉娜！》《西奥，加油！》，受到众多小读者的喜爱与家长、老师的欢迎。

现在我们读到的是第二辑。其中，《我成为了哥哥》和《我有一个愿望》，依然是从法国巴亚引进的两本细腻温暖的儿童小说。

《我成为了哥哥》中的范森是家里最小的孩子。以前，他总觉得哥哥萨维埃抢了他的风头，而爸爸妈妈的眼里永远只能看到哥哥的优点。直到那一天，哥哥整个人突然变得蔫蔫的，无精打采，连饭也吃不下，爸爸妈妈看了有些不满意，但范森心里却很是得意，这次他终于有了表现的机会了。实际上，哥哥是生病了，而且病得很厉害……家里每一个人的心情都糟透了，而哥哥，他再也不是那个全世界最厉害的哥哥了……当家里的人都被哥哥的疾病给压倒时，范森却告诉自己："我们不能丢下他，因为他是我们的家人。"他开始学着去做一个"哥哥"，去尝试着帮助萨维埃。一个孩子的种种纯真的心思，不仅仅是让我们会心一笑，而是看到了一个孩子的坚强和成长的变化，看到他从原来只关心自己而变得关心周边、敢于担当的转变。

《我有一个愿望》讲述了一个移居法国的阿尔及利亚男孩的故事。自从爸爸去世后，幸福就远离了男孩阿齐兹的家庭。至少在他妈妈看来，生活在法国的他们再也没法开怀大笑了。被贴上各种坏标签的阿齐兹总是很调皮，其实他只是想在捣蛋中让自己暂时忘记不幸吧。他渴望被同学们接纳，希望能被别人理解，却始终没人能明白他的心思，他有点儿绝望。但是看到班上的越南女孩小玉之后，阿齐兹心中燃起了一丝希望，他觉得她应该能理解自己！我相信很多孩子都会与这本小说中的主人公产生情感共鸣。

这两本小说延续了"少年励志小说馆"第一辑的温暖和励志的基调，让孩子感受到浓浓的爱意。而从法国另一家优秀的儿童出版社——开心学校引进的"教育部推荐图书"《不想说谎的孩子》和《不可能的任务》，是著名儿童文学作家布里吉特·司马贾的力作，其中《不可能的任务》还曾获得法国2004年儿童组女巫奖、法国儿童基金奖。这两本儿童小说也是从关注孩子的内心出发，从一些独特的角度，展现孩子成长中的一些情感和小秘密，引导家长走进孩子的世界。

《小村庄的天空》和《把爱找回来》，是台湾地区作家的原创作品，让小读者在感受台湾的独特风土人情的同时，也看到了中国孩子自己的成长故事。

儿童文学作家诺斯特林格说过这样的话："我给孩子们写书的方法很简单：既然他们生长于斯的环境不鼓励他们建立自己的乌托邦，那我们就应挽起他们的手，向他们展示这个世界可以变得如何美好、快乐、正义和人道，这样可以使孩子们去向往一个更美好的世界，这种向往会促使他们思考应该摆脱什么、应该创造些什么以实现他们的向往。"这些小说，正是直面了孩子们成长中可能遇到的一个个具体难题，娓娓讲述着一个个温暖的故事，为一颗颗需要帮助的幼小的心打开了一道缝隙，透进了最温暖的光亮，最终帮助这些孩子走出了种种阴影和困境，重新获得了成长的信心、快乐和勇气。

　　这样一些孩子，不也都是世界赐给我们的宝贝吗？那么，去疼爱他们，去关心和了解他们，去把他们拥抱在怀里，搂到身边，呵护他们，给他们鼓励和微笑，我们所有的父母、老师和成年人，还有多少事情要做！

（作者系儿童电视编导、儿童文学作家、意大利国际儿童电视节获奖编剧）

作 者 序

这本书是描述一个从小就生长在冷漠城市里的小孩，电动游戏取代了兄弟姊妹的陪伴，最大的心愿只是能够天天和爸爸、妈妈一起吃晚餐罢了。当他转学到乡下和爷爷、奶奶一起居住，会发生什么样的故事呢？

就我而言，我的奶奶是一个对自己很节俭，对孙子却花钱不眨眼的奶奶，即使现在我已经开始工作赚钱了，她还是会硬塞零用钱给我。我的爷爷从供销社退休后，就开始自己种菜、养鸡，过着自给自足的生活。耳朵有重听的他，我们总是要扯着嗓子大声跟他说话，他才能听得到。自从我到外地去念书、工作，似乎就很少和他们聊天了，但是心里面总是会挂念着他们的身体健康，惦记着他们日子过得开不开心？

这本书当中，除了主角睿瑜和爷爷、奶奶的祖孙之情，我还加入"棒球"这个元素。棒球是台湾省的省球，我却一直到二〇〇四年的奥运后，才发现看棒球的乐趣。虽然那一次的成绩并不理想，但王建民的投球和彭政闵的全垒打给我很大的震撼，原来这就是棒球啊！我这才恍然大悟，为什么小时候舅舅一到假日就会不见人影，而且骑很久的摩托车到台中球场看兄弟象的比赛。

棒球是一种会让人付出热情的运动，我曾和朋友在下着大雨的下午，开车到高雄澄清湖球场，只看了一局的比赛就回家了，那天的雨水大到我们都看不清前方，我还特地从台中到台南和朋友会合，只为了到现场帮自己心爱的球队加油。在去年职棒签赌案爆发的那一天，我依然骑了很久的摩托车到现场看比赛，现场还是有一群和我一样的傻球迷，不离不弃。还有今年我所支持的球队，面临破联盟最长连败的窘境，但我和朋友还是早早就订好球票，期待他们的比赛。

为什么？球队又没有付你钱，为什么要这么支持他们？对棒球的热情、棒球场上的奇迹，或许你可以在这一本书中找到一些答案，其他的，请你到现场去帮他们加油吧！不论是少棒、青少棒还是职棒，不论是兄弟象还是统一狮，甚至是洋基队和大都会、乐天金鹰、软体银行都可以，请你为他们加油吧！

今年对我来说，是很特别的一年。在我人生中每一个阶段的重要人物都纷纷结婚、生小孩了，要结婚的有高中麻吉小屁和小棋、大学麻吉外加棒球之友珂玲和昆展，还有我认识最温柔又善良的萱芸也要和天佑结婚啦！现在的同事嘉珮和麻吉阿雀也都变成大肚婆了。

其中最让我感到神奇的，是在我写这本书的时候，我姐的小孩出生了。看着他小小的手、小小的脚，好像脆弱到一折就会断，但是洪亮的哭声，又让你不能小看他的生命力。家里面的人，不论是外公、外婆，还是众多阿姨，都满心欢喜地迎接新生命降临，这个小宝宝是家里最大牌的人。当他想要尿尿的时候，才不管你是不是正在换尿布，就直接尿在沙发上；当他不想睡觉时，才不管现在是半夜几点钟还是爸爸明天要上班，想哭就哭，随性得很。虽然他这么坏，但是大家就是爱他，没有办法。

有一天同事嘉珮问我："为什么要生小孩？"虽然她已经怀孕了，却还没感受到生小孩有什么好高兴的。我想在她生完小孩之后，看着小婴儿可爱的脸庞，或许就能找到答案了吧！

写这本书的期间，有一首歌让我反复聆听，深受感动。就是Black Eyed Peas(黑眼豆豆)的《Where is the Love》，这首歌的歌词是这么说的："人们互相残杀，人们不断死去，孩童受到伤害，你听见了他们的哭声。神父神父神父，帮帮我们吧！这些人让我想到的问题就是Where is the love？爱在哪里？如果爱与和平是如此强大，为何这些爱没有归属？大国丢下了炸弹、化学毒气充满了小国家，很多人继续遭受着苦难，年轻人死于青春的时期。所以问问你自己，爱是否真的已经消失？所以我可以问我自己，说真的哪里出了错？在我们所生存的世界上，人们继续退化着，不断做出错误的决定，映入眼帘的只有钱。彼此不相互尊重，否定自己的兄弟。

我感觉到在我肩上世界的重量，当我年纪不断增长，人们变得越来越冷漠。我们多数人只关心赚钱这回事，自私让我们走错了路。负面不良信息以比细菌还快的速度感染年轻人的心灵。小孩子想要做他们在电影上看到的行为，管他人类的价值观发生了什么事，管他正义和公理发生了什么事。我们以散播仇恨代替散播爱，缺乏同理心让我们远离了团结，这就是为什么有时候我觉得低级的原因。这就是为什么有时候我感觉沮丧的原因，毫无疑问地，为什么我有时感觉低级，就必须保持我的信念活着直到爱被找到，现在问问你自己："Where is the love？"

是啊！每天打开新闻频道，映入眼帘的，有很多不幸的惨剧，爱都跑到哪里去了？当我第一次看到这支MV的时候，心里面真的很感动，终于有一首歌是在传送着正面的讯息。我也希望，等到我的小侄女像我这么大的时候，这个世界的人们不再冷漠、我们以散播爱代替散播仇恨，每一个人都可以找到爱，不会再问："Where is the love？"

目录
CONTENTS

1

一个人吃饭的滋味

唐睿瑜面无表情地盯着电脑屏幕，手指在键盘上快速移动着，一心一意只想着要过关的他，妈妈叫了好几声都没听到。

"唐睿瑜，我数三声，你再不起来我就要把电脑插头拔掉了。"火冒三丈的妈妈提高音量，发出最后通牒。

"好啦！我快过关了，再等我一下。"唐睿瑜头也不回，还是专心地盯着电脑屏幕看。

玩网络游戏容易上瘾最大的原因，就是你会想排第一，所以一玩起来总是没完没了。

"你的一下到底有几下啊？"妈妈不耐烦地说，"一回家就看到你在打电动，你三点要上小提琴课，可别忘了。"

妈妈只是回家拿个东西，待会儿又要回去公司。由于她和睿瑜的爸爸工作十分忙碌，无法常常陪在睿瑜身边。所以妈妈让睿瑜学习很多才艺，不只是填补她和爸爸不能陪伴睿瑜的空档，也因为现在的教育趋势"犹如逆水行舟，不进则退"。

哪个孩子不学个几样才艺的？像睿瑜星期一晚上要上现在最流行的"棋灵王围棋班"，星期二和星期四要上的是标榜外籍教师、小班教学的"儿童美语班"、星期三下午要上"MPM多元数学班"、星期五是"珠算班"，就算是假日也不能休息，还有"小提琴班"和"快乐儿童读经班"。这些才艺课程的学费并不便宜，不过一切都是为了孩子的教育和成长，绝对不能够输给别人。不过有时候看到睿瑜被满满的课程压得喘不过气来，她就会有点心疼，但谁叫现在的父母都不愿意自己的孩子输在起跑点上呢？所以剩下的空暇时间就会让睿瑜做自己喜欢的事情，而睿瑜唯一的嗜好就是打电动。

"喔！"唐睿瑜随便应付妈妈的疲劳轰炸。

小提琴！是谁发明这种折磨人的东西啊？反正妈妈很少在家里，偶尔看到他在打电动就会念个几句，假装自己是尽责的母亲。

除了上学，他还要上小提琴、英文、美劳、数学、围棋课……一堆上不完的课，学不完的才艺，只有上网打电动最好玩了，而且每次打电动，时间都过得好快、好快。为了增加自己的装备和宝物，他花了很多时间在这个游戏上。

"GAME OVER！"电脑那一端传来游戏结束的声音，可恶！每次到这一关就破不了关，还是要去买本秘笈来看。

唐睿瑜知道自己该起身准备上小提琴课了，不然一定会被妈妈唠叨到耳朵烂掉。

"妈妈，给我钱。"唐睿瑜背起小提琴，转头对妈妈说，"我要买秘笈。"今天会出版（魔兽天堂）的最新秘笈，他一定要比郭成翰先过关。

"好。"妈妈从皮包中拿出一张千元大钞给他，对于金钱，妈妈从不吝啬。因为工作忙碌的关系，她总觉得自己和老公不能好好陪伴在孩子身边，至少要满足他在物质上的需求。

"对了！晚上我和爸爸都不在家，你上完小提琴课顺便买晚餐回家吃喔。"

"喔！"他早就习惯一个人吃晚餐了，便利商店的微波食品和速食店的汉堡薯条都吃腻了，今晚该吃什么呢？

唐睿瑜背着小提琴走出家门，沉重的背影看起来格外孤单。

"你看，这是最新款的 Wii 游戏光碟，我妈昨天买给我的。"上珠算课时，郭成翰脸上带着得意的表情，偷偷地从桌底下拿出最新的游戏光碟向睿瑜炫耀。

"我和爸爸约好这个礼拜天要去逛电脑城，到时候爸爸会买 PSP 给我。"睿瑜不甘示弱地反击回去。拜托，Wii 怎么比得上 PSP 啊？

"哼！等你爸爸真的买给你再说吧！"成翰是睿瑜的同班同学，两人平时最喜欢讨论网络游戏和电动的话题了。比角色等级的累积、比角色装备的升级、比任务的达成、比虚拟财富的累积、比过关的速度谁快、比电动的游戏卡带谁多。什么都能比,谁也不让谁。

"反正绝对不能输给郭成翰,这个礼拜天一定要叫爸爸带我去买最新的PSP。"睿瑜暗自下定决心。

珠算课结束之后,睿瑜马上飞奔回家。但是一如往常的,依旧没有人在家,睿瑜失望地拿出钥匙开门进去。

"唉!爸爸妈妈怎么可能会比我先到家呢?"睿瑜抬头看着墙上的时钟,短针指向九,距离爸爸、妈妈回家的时间还很早呢。

由于学校的功课已经在托管所写完了,睿瑜洗完澡之后,只能先回房间里,一边打电动,一边等待爸爸妈妈回来!

过了好一阵子,睿瑜连续打了好几个呵欠,终于听到门锁转动的声音。

"爸爸、妈妈,你们回来啦!"睿瑜一听到开门的声音,立刻从房间冲到客厅。

"你怎么还没睡呢?现在都几点了?"妈妈说完看向时钟,"都十一点了。"

"反正明天是礼拜六嘛!"睿瑜撒娇地说,"爸爸,你不要忘记我们说好星期天要去逛电脑城喔。"

根据以往老爸常常爽约的惯例,一定要事先提醒他才行,所以睿瑜才会坚持等爸爸回家才睡觉。

"糟糕! 我这个礼拜天正好有事。"爸爸一脸抱歉地说,"我们改天再去好不好?"

"你骗人! 要改哪一天?"睿瑜真的好生气,爸爸每次都这样,一点儿诚意也没有。这次说好要去电脑城,是好久之前就讲好的,怎么可以出尔反尔。

"嗯,让我想一想。"爸爸露出困扰的表情,仔细思考他还有哪一天有空。

"算了啦! 反正你都说话不算话,我早就习惯了。"睿瑜难掩失望,在他的心中,爸爸早就没有信用可言。

"别生气嘛! 不然你想要什么礼物? 我买给你。"为了表示歉意,爸爸看起来很诚恳的样子。

"那我要最新款的 PSP。"生气归生气,遇到机会还是要好好把握。

"那……"爸爸欲言又止地说,"我给你钱,你自己去买好不好?"因为他连买礼物的时间都没有,目前公司的厂房正在进行扩厂计划, 他每天都忙到三更半夜才回家,连假日也不能休息,哪有时间去买礼物呢!

"爸爸,你真的很没有诚意!"连礼物都叫他自己去买,爸爸是全世界最没有诚意的人,睿瑜连话都懒得跟他说了。

"看吧!谁叫你一开始要答应他。"妈妈在一旁说,"做不到就不要随便允诺。"

睿瑜心想:你们这些大人,没有时间好好陪伴小孩,就不要随便把他生下来。不过睿瑜并没有把这些话说出口,爸爸、妈妈辛苦赚钱也是为了养家。

"睿瑜,真的很对不起,等爸爸这阵子忙完之后,再好好补偿你。"爸爸也很想抽出时间好好陪孩子,无奈力不从心。

"算了啦!我真的很习惯了!"睿瑜对于落空的希望倒是很看得开,反正又不是第一次被放鸽子。

"我要去睡觉了,晚安。"睿瑜转身走向自己的房间,虽然心中有一点点难过,不过自己一开始本来就不该抱希望的。

在今夜的梦中,爸爸变成鼻子长长的大木偶,再也不能去工作了,反而能够一直陪伴在他身边,这样算不算是一个好梦？

今天的小提琴课结束得比较早，睿瑜先绕到电子商场买了最新款的PSP，再准备坐地铁回家。在地铁大街里面，设有许多电脑商场，在商店的前面摆满了可以试玩的电动。睿瑜常常在商店前面玩最新款的PSP，可以消磨一整个下午的时间，现在他有自己的PSP，就不必再站在店门口玩了。

睿瑜提着最新型的PSP，走到地铁站入口，他看到一位老太太站在售票机前许久，似乎不知道要怎么买票的样子。该去帮她吗？这样会不会太爱管闲事了？可是看她眯着眼睛的样子，一定是看不懂售票机的说明吧！算了！其他路人应该会去帮忙吧！可是，这里人来人往的，根本没有人停下脚步。不过至少还有地铁站的工作人员可以帮她忙啊！正当睿瑜犹豫着要不要上前帮忙的时候，排在老太太后面的人终于出声了。

"你到底要看多久啊？我很赶时间。"排在老太太后面的是一个年轻人，露出一脸不耐烦的样子。

被年轻人一催，老太太更加不知所措了。

"在地铁站买票要先按价钱再投币，奶奶，您要去哪里？"在一旁的女高中生看不下去了，开口帮忙老太太，顺便瞪了那个年轻人一眼。

　　"我的孙子住在新埔站，我要去看他。"老太太说。

　　"喔，那要三十元，我帮你买票。"女高中生好心地帮老太太买好票。

　　"小姐，你人真好，谢谢你啊！"老太太很感激地说，"你叫什么名字啊？"

　　"我叫做苏菲，刚好要坐到板桥，那我们一起走好了。"女高中生好心地帮忙帮到底。睿瑜在一旁也松了一口气，不知道为什么，对于老人家他总是有一股莫名的亲切感。可能是因为和自己的爷爷、奶奶年纪差不多吧，看到年纪差不多的老人，就会想到他们。

　　每年的暑假，妈妈会安排一个礼拜的时间，让睿瑜抛开才艺班的束缚，不用去补习，可以到乡下的奶奶家玩。奶奶家在台东的乡下，那里有好多好多的金针，和一大片绿油油的青翠山峦，还有蓝得不可思议的晴朗天空，空气中也混合着泥土味和青草香，耳边更不时传来知了阵阵的鸣声。

没有高楼大厦，只有低矮相连的三合院；没有二十四小时营业的便利商店，只有一间不起眼的小杂货店；没有闪烁的霓虹灯引路，只有夜晚的点点星光为伴；没有忙碌冷漠的人群，只有悠闲亲切的人们。睿瑜最喜欢去奶奶家了，但爸爸、妈妈没办法请假一起去玩，所以睿瑜必须自己坐车到奶奶家。

去奶奶家要先搭火车到台东，坐"自强"号的话，大概要花六七个小时的时间。接着还要转公交车才能到奶奶家。妈妈会先帮睿瑜买好火车票，给他刚好的零钱坐公交车。妈妈送他上火车之后，接下来就得靠睿瑜自己啦。这让睿瑜很有当大人的感觉，因为他必须自己一个人到那么远的地方去，就像是一场冒险。其实他已经事先知道冒险的终点站在哪里，只要顺利坐上公交车，就不用担心会坐过头，因为奶奶家是最后一站，不下车也不行，而且爷爷一定会笑眯眯地在站牌旁边等着他。

爷爷笑起来的时候，眼睛会眯成细细的一条缝，感觉很温暖。等睿瑜下车之后，爷爷会用他长满厚茧的大手，握着睿瑜的小手，一起去买刚出笼的包子来吃，接着再去镇上唯一的杂货店买一大堆零食和玩具，让睿瑜心满意足地回到奶奶家。

这时候，奶奶就会大方地杀一只自己养的鸡，然后煮一桌子的美食来款待睿瑜。宝贝孙子睿瑜来这里玩，对爷爷奶奶来说，这可是了不起的大事啊！受到爷爷、奶奶如此无微不至的宠爱，这一个礼拜当然是乐不思蜀，快乐似神仙啦！如果硬要挑毛病，应该就是奶奶家的天气实在太热了，没有冷气又处于四季如夏的台东乡下，实在不是人过的。早就吹惯冷气的睿瑜，实在很难忍受这一点。幸好奶奶常常买汽水和冰棒给他吃，所以他勉强可以忍耐。

另外一项困扰，就是奶奶家的厕所竟然没有马桶。对于他这个从小就是对着马桶尿尿、坐着马桶嗯嗯的小孩来说，真是一件很不习惯的事情。而且奶奶家的厕所是那种上面架着两块木板，下面就是水沟的传统厕所，所以在嗯嗯的时候，常常会不小心被水沟的水喷到屁屁，还会蹲到脚都麻了。这种厕所唯一的好处就是不必冲水，所有的东西都会随着水沟的水流走。对他这个都市小孩而言，上奶奶家的厕所真是人生中最大的考验。

　　除了以上这两点,睿瑜倒是很喜欢这里。在这里,睿瑜可以完全忘却烦人的才艺课,享受自由自在的乡间生活。每天早上是被奶奶养的鸡叫醒的,公鸡的叫声真的很响亮!他会陪着爷爷一起去菜园种菜。

　　爷爷原本服务于公家机关,退休之后就辟了一个菜园种菜,过着自给自足的生活。爷爷很巧妙地利用菜园的地势挖了几道沟渠,所以菜园刚好被沟渠分隔成块状,如此一来,要浇水也很方便,在菜园的旁边就有潺潺溪水流过。

　　当爷爷挥着锄头埋头苦干的时候,睿瑜就开始捉捉飞舞的蜻蜓、玩玩水沟里清凉的溪水,累了就摘爷爷亲手种的小番茄来吃。来到这里之后,他才知道原来小番茄不是长在树上的,而是爬藤的。

　　菜园刚好就在火车铁轨旁边,偶尔可以看到火车缓缓驶过,由于这里比较偏僻,一天只有几班车会经过。奶奶说再过不久,可能就要废站,把旧的火车站改成观光景点。如果在爷爷的菜园玩腻了,睿瑜会跑到附近的小学玩,这所小学就在菜园和奶奶家之间,是爷爷去菜园种菜的必经之路。

小学的操场上，常常有人在打棒球，不过睿瑜不会玩，所以兴趣也不大。他最喜欢玩那里的游乐设施，他可以用最大的力气把秋千荡到最高点，让自己快要飞出去；也可以倒着玩溜滑梯，想办法用各种姿势从上面溜下来。如果是在台北的家里，妈妈是绝对不可能任由他这样做的。

没有上不完的课和学不完的才艺，只有蓝天与绿地相伴，如果能一直待在奶奶家那该有多好。

睿瑜心中有一丝惆怅，抬起头看到地铁车厢内张贴的海报，是关于浮萍儿的内容。

二十多年前，台湾存在极多的浮萍儿（注：在我们的社会，大部分双亲就业，孩子大多数是在没有成人监督之下自行照料自己，这样的孩子称作"浮萍儿"）。而如今则有一群放学后无处可去、无人陪伴的孩子，必须独自面对漫长的孤单。这些孩子由于父母离婚、分居、外遇、家暴，或是家人患有忧郁症、酗酒等问题，导致他们放学回家后没有人陪伴，更惨的是必须流连在网吧或是街头。而台湾平均每十个孩子就有一名是浮萍儿。

虽然睿瑜没有他们这么惨，但是自己的情形也和浮萍儿没两样吧。总是一个人回家，一个人吃饭、洗澡、睡觉。

想到这里，地铁也刚好到站了。睿瑜随着人潮鱼贯而出，奶奶家和他所居住的都市实在差太多了！奇怪！台北和台东不是都在小小的台湾上吗？不但景色完全不同，就连人们走路的速度和脸上的表情也完全不一样。

今天照例又是一个人吃晚餐，睿瑜走出地铁站之后，先到附近的便利商店买晚餐。回到家中，他先将晚餐放入微波炉中加热，再顺手打开电视。新闻台正在播报一家人因为欠债而集体自杀的新闻，另一台则是在播报女艺人被小男朋友殴打的消息。

"真无聊。"对于现在的新闻只讲求麻辣和轰动，睿瑜早就麻痹了。负面的讯息在媒体上强力播放，骇人听闻是主要的准则。

睿瑜将加热好的晚餐拿出来吃，顺便拿起遥控器转台，电影台正在播放重播过几百次的古惑仔电影，睿瑜继续转台，综合台是一对情侣准备分手而哭哭啼啼的画面，当然转台，突然电视里传来凄厉的惨叫声，原来是故弄玄虚的撞鬼节目。

"唉，真不知道看这些节目的大人心里在想些什么？"睿瑜最后转到日本台，正在播母子共同生活的省钱节目，里面的妈妈做了好多省钱又美味的料理给孩子吃。

为什么妈妈从来不会做菜给他吃呢？为什么他每天晚上都要一个人对着电视吃晚餐呢？为什么爸爸说好要带他去逛电脑城却又爽约了呢？如果骗人鼻子真的会变长，爸爸的鼻子一定早就比大象还长了。

爸爸、妈妈从来都不知道，一个人吃晚餐的滋味，有多么难以下咽。其实妈妈不一定要煮多好吃的大餐，只要能多陪陪他，让他不必一个人在家，就算看到电视上恐怖的节目也不会害怕，这样就够了。可是爸爸和妈妈好像不懂，以为只要赚很多很多的钱，让他去学很多很多的才艺，去买很多很多他想要的玩具，就是尽责的父母了。

为什么大人就是不懂小孩的心呢？大人不也当过小孩吗？睿瑜一边想着这些问题，一边把晚餐吃完。填饱肚子之后，睿瑜马上把今天刚买的 PSP 拿出来玩。对他而言，电动是他最好的朋友。是他晚上一个人在家的时候，唯一陪伴他的家人。

咦？太阳从东边升起了吗？睿瑜用力地捏捏自己的脸颊，会痛耶！是真的，没有错！爸爸、妈妈怎么会有时间带他出来玩呢？上次全家一起出来玩，已经是他念幼儿园时候的事情了吧！

由于爸爸、妈妈经营的是灯饰工厂，台湾经常会对外出口灯饰，圣诞节前夕是灯饰大量出产的旺季，虽然在圣诞节前夕出货完毕之后，一直到隔年的上半年度都是生产淡季，但是此时必须开始规划新一年度的产品设计，所以爸爸、妈妈一年四季都十分忙碌。

好吧！看在他们带他来海生馆玩的分上，睿瑜决定宽宏大量一点，原谅他们之前常常说话不算话的事情。

海生馆分成"台湾水域馆"、"珊瑚王国馆"和"世界水域馆"，整馆坐落于山水之间，让来此的旅客心旷神怡，又能寓教于乐。

"爸爸，你看。那是小白鲸！"睿瑜卸下平日故作成熟的假面具，开心地拉着爸爸、妈妈到处走，他们走到白鲸池的透明玻璃前，看着可爱的小白鲸优游于池中。小白鲸可以在水中发出很多声音，先在水面下吐出一大口的泡泡，再翻到水面上去换气。聪明可爱的样子引来许多游客驻足参观。

"换算成鲸鱼的年龄，小白鲸还是小孩子喔。"爸爸如此说道。

"喔，好可怜喔！这么小就要和它的爸爸、妈妈分开，它会不会很孤单啊？"睿瑜说完之后，爸爸、妈妈却不发一语，没有回答他的问题，睿瑜不以为意，继续往前走。

"爸爸，你看！这里说海马是好爸爸喔！海马妈妈和海马爸爸会先将肚子贴着肚子，然后海马妈妈将卵产在海马爸爸腹部的囊袋里，几个星期之后，就会有将近两百只的小海马从海马爸爸的腹部跑出来了。"他们来到了海马展示区，里面有各式各样的海马，让睿瑜大开眼界。

睿瑜和爸爸、妈妈在海生馆度过快乐的一天，归途中，睿瑜在车上累得睡着了。

"该怎么跟他说呢？"妈妈转身看着睿瑜熟睡的稚嫩脸庞，心中突然觉得好不舍。

"总是要让他知道啊，明天再告诉他吧。"爸爸也不想破坏这美好的一天，决定明天再让睿瑜知道这件事情。

睡梦中的睿瑜扬起嘴角，似乎做了一个很甜美的梦。

隔天晚上，爸爸、妈妈很不寻常地提早下班，回到家里和睿瑜一起吃晚餐。

"妈妈，你们公司是不是快倒闭了啊？最近好像很闲呀？"睿瑜开玩笑地说。

爸爸、妈妈面面相觑，妈妈用极不自然的表情说："刚好相反，睿瑜。"

"我们的公司最近营运不错，要到大陆设厂了。"由于圣诞灯饰的季节性，以"台湾接单，大陆出货"的模式可以避开淡季时库存的问题，在淡季的时候可以弹性减少雇用大陆的劳工，降低人事成本。所以他们决定到大陆设厂，一开始必须搬到大陆居住，以便处理设厂的事情。

"哇！太棒了。"睿瑜不疑有他，深深替爸爸、妈妈感到开心。

"所以你们终于忙完了，有时间陪我了。"如果爸爸、妈妈天天都可以像今天这样陪他吃晚餐，像昨天那样带他出去玩，那他就是全世界最幸福的小孩了。

"睿瑜，爸爸、妈妈必须跟着工厂一起搬到大陆去工作。"最困难的部分已经起头了，接下来要怎么说呢？

"所以我也要搬到大陆去吗？"天啊！搬去大陆，离开这里。爸爸、妈妈是这个意思吗？

"我和爸爸讨论之后，希望你可以先搬去和奶奶一起住，等我们在大陆的工作和生活都安顿好了再带你过去。"考量到大陆的环境问题，连他们都不知道能不能适应，实在不敢贸然带睿瑜过去。

"我很喜欢奶奶家啊，但是我到那里要住多久啊？"睿瑜虽然心中有点不安，但是他不想让爸爸妈妈担心，所以装作无所谓的样子。

"大概两年左右的时间就够了，我们不会分开太久的。"爸爸也考量到睿瑜的教育问题，希望现在四年级的睿瑜在台湾念完小学，再到大陆念中学，在教育的衔接上能够比较顺利。

"你不是很喜欢去奶奶家吗？爷爷和奶奶也很希

望你能去他们那里住。"妈妈相信这对睿瑜来说是最好的安排。

就这样,睿瑜被送到台东的奶奶家去,爸爸妈妈搬到大陆去工作。

"台北,再见。"睿瑜坐上往台东的火车之前,在心中默默地说。这一次去奶奶家的心情和之前完全不同。接下来,他就要踏上一段全新的旅程,未来会如何,他没有把握。

从此,他就要展开无法玩网络游戏、吃不到汉堡和薯条、上厕所没有马桶的新生活,但是,他可以和爷爷、奶奶一起过日子,应该会很棒吧!

睿瑜在心中这么告诉自己。

2

乡间生活初体验

搭乘最快的"自强"号，也要花五六个小时的时间才到得了台东，接着转搭公交车到奶奶家，爷爷早就站在终点站的站牌前，殷殷期待睿瑜的到来。

爷爷一手帮睿瑜提起行李，一手牵着睿瑜，开心地走回奶奶家。

"爷爷，您不用来接，我也知道怎么去你们家啦。"睿瑜看到爷爷额头上流着大滴大滴的汗水，忍不住这么跟爷爷说。

"你不知道爷爷以前是海军陆战队的啊？身体还很好啦。"爷爷露出大大的笑容，他最喜欢说自己以前当兵的事情，连偶尔来一次的睿瑜都可以倒背如流了。

"知道，爷爷最厉害了。"睿瑜点点头，让爷爷更加开心了。

"自从知道宝贝孙子要搬来和我们住，我就一直在等你，我的宝贝孙子终于来了。"爷爷的开心溢于言表。

"连你那个节俭的奶奶都大费周章，买了一堆东西等着你来呢。"奶奶虽然很节俭，但是对孙子绝不吝啬。

睿瑜一踏进奶奶家，就发现和之前不同，奶奶特地将一间房间整理出来要让睿瑜睡，还有好多的玩具，看来奶奶花了不少钱。

"奶奶，怎么有这么多玩具？"睿瑜又惊又喜地问。

"没有啦，去买菜的时候看到就顺便买了。"奶奶轻描淡写地说，但是睿瑜知道这是奶奶疼爱他的心意。

睿瑜仿佛看到光明灿烂的未来，接下来的日子，他一定都会很开心。因为他再也不需要一个人吃饭了，他有爷爷奶奶无微不至的照顾，还有美丽的大自然为伴。

嗯，没错。接下来只要解决转学的事情就好了。要和这里的同学好好相处应该不会太难吧，这里的民风淳朴，再怎么难搞也不会比冷漠的台北人难搞吧。加油,唐睿瑜,今天开始就要迎向美好的未来了。睿瑜的算盘打得很响,殊不知事情并不像他想得这么简单。

隔天是睿瑜转学到奶奶家附近小学的第一天,走在长长的走廊上,他突然感到不太舒服,开始紧张起来,胃里似乎有东西在翻搅。要是同学不喜欢他怎么办?睿瑜举步维艰地踏进四年级三班的教室。

"各位同学,这位是我们的新同学,现在请他自我介绍。"导师是个上了年纪的女老师,看起来很严肃的样子。

睿瑜看着台下一双双打量他的眼睛,胃部的不适似乎更加严重了,他突然怯场了。

"大家好,我……我叫唐睿瑜。"睿瑜介绍完自己的名字之后,就不知道该说些什么了,他只是紧张地看着大家。

"你可以跟大家说说你的嗜好及兴趣。"老师提醒睿瑜。

"电动……我最喜欢玩电动和网络游戏。"睿瑜结结巴巴地说,随即又沉默下来。

"你的皮肤好白呀!"台下突然有人打破沉默,说话的是一个皮肤黝黑、头发短到几近光头的一分头男生,他对睿瑜说:"你会不会打棒球?"

"不会。"睿瑜说,"我只有玩过电动的野球风云。"

"真没劲。"一分头男生对坐在附近的同学说,其他男生也点点头表示赞同。

"睿瑜是从台北转学过来的,所以你们要多多照顾他。"老师帮睿瑜补充说明。

"白斩鸡(注:贬义词,在台语中是用来嘲笑他人瘦弱、弱不禁风)。"突然有人在台下用台语小声地说,引起其他人一阵窃笑。

老师好像没有听到,不过睿瑜听到了,他面无表情,立刻用冷漠筑起一道防护墙。

"请你去坐那个位子。"睿瑜顺着老师手指的方向一看,就坐在那个一分头的旁边。

"你的头发好好笑!"睿瑜一坐下来,一分头马上对睿瑜这么说,也不想想自己的一分头更挫。

"真倒霉!"睿瑜心中如此想着,上学第一天就遇到这种事情,似乎不是一个好的开始。

这和他计划的光明灿烂的未来不同,怎么办?由于这是一间小学校，每个同学都是从一年级就认识了，到了五年级才转入的睿瑜，很难和他们打成一片。

下课时间，睿瑜一个人坐在位子上，没有人找他说话，他也不知道该如何主动和同学聊天，这短短的十分钟，让睿瑜觉得度日如年，好像十个小时那么久，他从来没有这么讨厌过下课时间。

终于捱到了放学时间，奶奶家就在学校附近，睿瑜可以自己一个人走路上下学。睿瑜快步跑回奶奶家，奶奶正好在门口扫地。

"奶奶，我回来了。"睿瑜大声地叫着奶奶。

"第一天上学还好吧？"奶奶问。

"很好啊，同学和老师都很好。"睿瑜不想让奶奶担心，才第一天上学，接下来他一定会适应的。

"等一下我要去洗头发，你要不要一起去啊？"奶奶问睿瑜。

"洗头？好啊。"反正等一下也没事做，就跟奶奶去洗头吧。

奶奶走进屋内拿了洗发精和毛巾就准备出门。奇怪，去洗头为什么要自己带洗发精和毛巾呢？睿瑜心中虽然觉得奇怪,但还是跟着奶奶走。

奶奶走过火车站,绕往车站后面,似乎不像是要去美容院的路。过了一会儿,奶奶停了下来,站在河坝前。

"好啦,我们来洗头吧。"奶奶很顺手地将洗发精和毛巾放在河坝的大石头上,让睿瑜看傻了眼,不可能吧!在河边洗头?

不过奶奶很自然地开始用河水浸湿头发,再抹上洗发精。

"快点过来洗啊。"满头泡沫的奶奶热情地招呼着睿瑜。

"好……"他知道奶奶很节俭,但是他不知道奶奶竟然节俭到这个地步。睿瑜只能硬着头皮走到河中间,模仿奶奶的方式开始洗头。

"要是被同学看到可就丢脸了。"睿瑜从来没想到自己有朝一日,会站在河中央,用河水洗头。谁知道上游的人做了什么?有什么脏东西会流到下游来?睿瑜心一横,也不敢继续想下去,快速地把头洗好了。

"下次我们来这里洗澡。"奶奶有点后悔没有带肥皂来,不然就可以顺便让睿瑜洗澡了。

"啊?"不会吧!连澡都在这里洗,打死他都不要。睿瑜下定决心,下次一定要拒绝奶奶。

"爷爷,我们回来了。"睿瑜和奶奶在河边洗完头之后,一起走路回家。爷爷刚好从菜园回来,正坐在椅子上抽着烟。

"你啊,烟少抽一点。"奶奶对着爷爷唠叨起来,抽烟这种事情伤身体又花钱。

"好啦!好啦!"爷爷口头上随便答应着奶奶,马上偷偷地对睿瑜说,"我们去杂货店买糖果。"

爷爷的零用钱不是拿来买烟,就是给睿瑜买糖果。为了睿瑜要搬来这里住,爷爷还克制地少抽点烟,把多的钱省下来宠宝贝孙子。睿瑜用力地点点头,拉着爷爷走出门外。

"不要出去太久,等一下要吃晚餐了。"奶奶一边烧柴准备煮饭,一边对着祖孙俩大喊。虽然家里有瓦斯炉和热水器,但是节俭的奶奶会去捡木柴,尽量用柴火烧水,这样可以节省瓦斯费。

爷爷牵着睿瑜,走在金黄色的稻田旁,口中不停吹嘘着自己年轻时代的英勇事迹。爷爷的大手牵着睿瑜的小手，两人在夕阳余晖之下有说有笑。一道道橘红色的光芒照在祖孙俩身上，这是睿瑜觉得最幸福的时候。

今天是星期天，爷爷戴着帽子准备出门。

"爷爷，您要去菜园吗？"睿瑜问。

"我要去爬山，你要不要跟爷爷一起去走一走啊？"爷爷在闲暇之余，会到山上去走一走。

"我要去。"反正在家里也没事可做，倒不如跟爷爷一起去山上玩。

走在山间小路上，呼吸着大量的新鲜空气，有一种很舒服的感觉。

睿瑜东奔西跑，对眼前出现的东西，样样都感到好奇。

"爷爷，这是什么？"睿瑜手上拿着一颗他从来没看过的东西，好像是挂在圣诞树上的装饰品。

"那个叫做松果。"爷爷说。

"喔，我要把它带回去。"睿瑜小心翼翼地将松果放在口袋里面。

"爷爷，您赶快过来。"睿瑜眼睛一亮，仔细看着前面的东西。

"我看看,原来是一只迷路的小麻雀。"有一只小麻雀躺在地上,好像很虚弱的样子。

"我们可以把它带回去养吗?"这是睿瑜第一次如此贴近地看着麻雀,"它看起来好可怜喔!"

"可以啊,只是不知道能不能把它救活。"爷爷仔细端详,看看这只麻雀有没有什么外伤。

"太好了。"睿瑜如获至宝地将小麻雀放在手心里,这是他第一次养宠物呢!因为住在台北的时候,妈妈不准他养小动物。

睿瑜向奶奶要了一个饼干盒,将小麻雀装在里面饲养。小麻雀在睿瑜无微不至的照顾下,渐渐恢复活力,让睿瑜觉得好骄傲。但是有一天,当睿瑜准备喂小麻雀吃东西时,小麻雀竟然飞向天空,一下子就消失不见了。睿瑜觉得好难过,第一次养的宠物,就这样飞走了。

看到睿瑜茶饭不思的样子,爷爷决定为他做点事情。

"睿瑜,你赶快过来。"睿瑜才刚放学回家,爷爷就迫不及待地呼唤着他。

"有什么事啊？"看爷爷一脸得意的样子，不晓得葫芦里卖些什么药。

"这……这是什么东西啊？"睿瑜走到爷爷旁边，吓得差点倒退三步。

"爷爷看你的麻雀飞走了，很难过的样子，所以抓这个来给你。"爷爷手上有一个塑胶袋，里面竟然装了一条鱼。

"这是您去抓的吗？妈呀！里面是一条活跳跳的鱼啊！"

睿瑜真是觉得不可思议，这种事情如果发生在台北，一定没有人会相信。

"对啊，我早上去溪边抓的。"爷爷得意扬扬地说，"爷爷不去当渔夫真是可惜呢！"

"这是什么鱼啊？好大一条啊！"睿瑜问。

"这是吴郭鱼。"爷爷说，"很大吧？"

"对啊。"睿瑜心想，一般人都是养金鱼、热带鱼或者是鲤鱼，从没听过有人拿吴郭鱼当宠物的。

他只好先去找个水桶来装鱼，养个另类的宠物也不错啦。

"好啦，我们去杂货店买糖果吧。"爷爷牵着睿瑜的手出门，把抓来的吴郭鱼先放在水桶里面，等回来再想想要放在哪里养吧。

当祖孙两个人开开心心地从杂货店买零食回到家里，奶奶已经煮好晚餐在等他们了。

"快点儿去洗手，可以吃饭了。"奶奶催促着他们。

"哇，奶奶煮的菜好香呀！"睿瑜开心地坐上饭桌，看看奶奶今天煮了什么菜。

突然，他的脸色一变。

"奶奶，您今天煮的是什么鱼？"桌上摆了一盘香喷喷的红烧鱼。

"吴郭鱼啊，你爷爷亲手抓的！"奶奶说，"他已经很久没去抓鱼了，真是难得。"

"什么事情很难得？"丝毫不知情的爷爷，从厕所里出来。

睿瑜说不出口，只能用手指着桌上的红烧鱼。

"你该不会把我抓来的鱼煮来吃了吧？"爷爷对着奶奶大叫。

"不煮来吃，难道要养它当宠物吗？真好笑！"奶奶说的话，让睿瑜冷汗直流，他实在不想介入这场战争啊。

"哼！"爷爷被奶奶的话气到哑口无言，只能冷哼一声。

这天晚上，睿瑜和爷爷都没有吃红烧鱼，只有奶奶一个人吃得津津有味。其实睿瑜心里还挺感谢奶奶的，如果那条吴郭鱼健健康康地活着，他还真不知道该拿它怎么办。不过他是不是应该跟爷爷说，他已经不想养宠物了。真担心下次爷爷会拿更奇怪的东西给他当宠物养。

在这里，有一点和台北很不一样，台北几乎每间学校都有提供营养午餐，由于许多父母无暇为小孩准备午餐，却又担心外食不卫生，所以营养午餐的供应算是非常普及。但是由于这里地处偏远，没有营养午餐的供应，也没有人订购外食，大家都是从家里带饭来学校蒸，比较费事的就由家人在中午时送来热腾腾的饭。

一开始，睿瑜不知道这里的情形，还以为有营养午餐可以吃，中午看到值日生去抬饭，才知道要自己带饭到学校蒸。没办法，中午只好饿肚子了。睿瑜乖乖地坐在自己的位子上，但是四面八方传来的饭菜香，让他忍不住一直吞口水。

放学时间一到，睿瑜赶紧冲回家，因为肚子实在饿扁啦。

"奶奶，我的肚子好饿。"睿瑜一边奔跑，一边跟奶奶说。

"怎么啦？你中午没吃饭吗？"奶奶心疼地看着孙子，赶紧去煮面给睿瑜吃。

"学校要自己带午餐，我不知道。"睿瑜回答。

"哎哟！真可怜。"奶奶将炉火转到最大，加快煮面的速度。

奶奶也不了解学校的状况，还以为学校有午餐可以吃。完全没想到自己的宝贝孙子会饿肚子，心疼不已。

"赶快吃。"奶奶将热腾腾的面放在睿瑜面前。

"谢谢奶奶。"睿瑜也顾不得什么礼貌了，填饱肚子是目前的第一要务。他立刻狼吞虎咽，津津有味地吃着面。

"以后如果肚子饿，就马上回来，奶奶会准备东西给你吃。"奶奶舍不得睿瑜饿肚子,反正他们家离学校很近。

"不行啦,怎么可以上课上到一半随便跑回家。不被老师批评到才怪呢。"

"有什么关系,你就跟老师说你肚子饿了啊!"奶奶理直气壮地说,"吃饭皇帝大。"

"好。"睿瑜跟奶奶说,"我明天开始要带午餐到学校蒸,只有礼拜三不用带午餐,因为礼拜三只读半天。"

呼呼,还好,明天开始就不用饿肚子了。

"我去找一找饭盒放在哪里,很久没有用到了。"

奶奶有一间储藏室,说储藏室是比较好听的说法,睿瑜觉得里面堆了很多没用的东西。光是使用过的塑胶袋,大概就有好几大袋,用很久估计也用不完;另外还有三辆脚踏车,但是奶奶根本就不会骑脚踏车;其他还有汽车的保险杆、超大的脸盆和晒东西用的竹筛……一大堆不知何时会用到的东西。不过这些东西都是奶奶的宝贝,虽然用不到也别想要丢掉,在这一大堆东西里面,要找到小小的饭盒,想必是一项大工程。

过了一阵子,睿瑜已经把学校的功课写完了,奶奶还在储藏室里面。和台北的繁重课业相比，这里的作业实在是太轻松了。这时奶奶高兴地从储藏室走出来，好像终于找到饭盒了。

"你看，我找到一只熊宝宝。"奶奶兴高采烈，一副挖到宝的样子。

"来，给你。"奶奶将熊宝宝交给睿瑜。

"您还没找到饭盒啊？"睿瑜有点傻眼，奶奶刚刚到底在里面做什么啊？

"快了，我快找到了。"奶奶转身进入储藏室，继续进行她的寻宝之旅。

"有时候，奶奶比我还像小孩子。"睿瑜心中有感而发。

等到夕阳西下，爷爷扛着锄头从菜园回来时，奶奶终于找到饭盒了。奶奶高兴地说今天晚上要煮得丰盛一点，让睿瑜明天中午可以吃得饱饱的，睿瑜不禁开始期待明天的午餐时间。

等到睿瑜入睡后，奶奶将特别留下来的菜，整齐地排放在饭盒中。细心的奶奶，还在饭盒的外面包着一层报纸，用橡皮筋捆好。

到了隔天中午的用餐时间，睿瑜满心期待地打开报纸。不知道奶奶在里面放了什么菜？这是睿瑜第一次带午餐，感觉很新鲜又有趣。

打开报纸之后，露出饭盒的外壳。那是一个看起来很旧的饭盒，原本的颜色好像是古铜色的，但是由于使用太久的缘故，颜色有点斑驳，就连饭盒的表面都凹凸不平。睿瑜赶紧用报纸把便当盒包起来，但是已经被眼尖的一分头男生看到。

他立刻大声地说："你们看唐睿瑜的饭盒，好好笑喔！"其他同学听到一分头男生的话，立刻围过来。

"好像被狗咬过。"一分头男生嘲笑睿瑜的饭盒，让睿瑜感到十分难堪，连头都不敢抬起来。

"你不要遮着，让我们看一下嘛！"其他同学没看清楚，要睿瑜把报纸拿开，让他们看个清楚。

睿瑜拿着饭盒的手握得更紧，一句话都说不出来。

"你很小器！"一分头男生带着大家瞎起哄，要睿瑜把手放开。

"看一下又不会死。"

"把手放开啦！"

大家你一言，我一语。说着说着，一分头男生便动手要去拿睿瑜的饭盒，其他人也加入抢饭盒的行列，终于让一分头男生抢到饭盒。他得意地高举着睿瑜的饭盒给大家看，睿瑜立刻伸手去抢。一不小心，饭盒打翻在地上，所有的饭菜散落一地。

　　"不关我的事，都是你的错，你跟我抢才会翻倒的。"一分头男生见状，立刻推卸责任，把错全怪到睿瑜头上。

　　"我只是想看一下，谁叫你那么紧张。"一分头男生不停为自己辩解，但是睿瑜并不理会他，只是默默地将地上的饭菜捡入便当盒内。

　　哇，奶奶还准备了一只大鸡腿要给他吃，看起来很丰盛呢！可惜他吃不到了。

　　"你不准跟老师告状。"沉默的睿瑜让一分头男生更加紧张，只好继续用言语威胁睿瑜。

　　不发一语的睿瑜，将地上的饭菜全部捡到饭盒里之后，拿到前面的垃圾桶倒掉了。其他起哄的同学，看到这个状况也被吓到了，全都默默地回到自己的座位去吃饭。

　　"今天又要饿肚子了。"睿瑜心想，可是他不能如奶奶所说的,直接跑回家去吃饭。

洗完手之后,他独自踱步到教室附近的凉亭,反正教室里没有他可以容身之处,就把这里当成他的秘密花园吧。

放学之后,他带着空空的饭盒回家。学校附近有一片草地,在回家前,他先去那儿躺着仰望蓝蓝的天空。应该是很舒服的感觉,他却觉得胸口闷闷的,有点想哭。他想要逃离这里,和坐在旁边的同学处不来,是一件很痛苦的事情。他想要回去台北的那个家,可以吗?他后悔了,他不想留在这里。

睿瑜站起来,拍拍身上的青草和泥土屑。真可惜,这是一个美丽的地方,却不是他可以容身之处。

睿瑜慢慢地踱步回家,奶奶正好要去河边洗衣服。虽然奶奶家里有洗衣机,奶奶却老是舍不得用,还是习惯去河边洗衣服。一开始,睿瑜还担心自己身上会有怪怪的味道,不过出乎意料的是,河水洗过的衣服还挺干净的,可能是这里的河水没有受到污染的缘故。

"今天中午有没有吃饱啊?"奶奶问。

"有啊,鸡腿好好吃!我把全部的饭都吃光光了。"

睿瑜对奶奶说了谎，因为他不想让奶奶为他担心。宁可饿着肚子，也要挤出开心的笑容给奶奶看，奶奶应该压根儿都没想到那个饭盒会让他感到丢脸吧。

"那我明天再给你带一只大鸡腿。"看到睿瑜的笑容，奶奶也很开心。

"好。"睿瑜的肚子咕咕作响，早餐吃的稀饭早就消化光了。距离晚餐时间还有两三个小时呢，只好忍一忍啰。

今天的晚餐，睿瑜连吃了两碗饭，让爷爷和奶奶都吓了一跳。

"睿睿啊，你今天食欲特别好啊！"爷爷忍不住问睿瑜。

"因为爷爷种的菜很好吃啊！"桌上的蔬菜都是从爷爷的菜园摘的，完全不用上街买菜，不论是空心菜、胡萝卜、玉米，还是青椒，应有尽有。

"好，那你多吃一点。"爷爷开心大笑，顺手夹了一些菜放在睿瑜的碗内。

"你知道吗？种菜也是有诀窍的。"爷爷只要兴致一来就开始"吹牛"，谁也阻止不了。"要选在适当的时间播种……"

"我终于知道为什么爸爸常常随便答应我却又做不到了。"睿瑜一本正经地打断爷爷的话。

"为什么？"爷爷问。

"因为爸爸受到爱'吹牛'的爷爷影响嘛。"睿瑜说，"爷爷，您真的很爱'吹牛'。"

"乱讲，我说的话都是真的啦！"爷爷赶紧为自己辩解。

"我觉得是奶奶把爷爷的菜煮得很好吃。"睿瑜不忘巴结奶奶。

"嘴巴有够甜，不怕蛀牙，我看你是跟'吹牛'爷爷学的。"奶奶嘴巴上这么说，其实心里很高兴，"喜欢就多吃一点，身体才会长高。"

吃完晚餐，在满天星斗和悦耳的虫鸣声中，睿瑜和奶奶坐在门口吃西瓜、聊天。

"奶奶，您会不会觉得做人很难？"睿瑜有感而发地问。

"那当然，做人又不像念书、考试，一百分就是一百分，做人复杂多了。"

过了一会儿，奶奶问："是你和同学相处有问题吗？"

"不是啦，是我刚好在一本书上看到这段话。"睿瑜赶紧澄清，不想让奶奶担心。

隔天，奶奶准备丰盛的午餐让睿瑜带去学校吃。到了中午用餐时间，睿瑜一个人拿着午餐到学校的凉亭去，他不想和一分头一起吃饭，不过一个人吃饭好孤单喔，他还以为到了台东就不用再一个人吃饭了，他开始怀念起台北的同学，就连爱跟他炫耀的郭成翰，都变得可爱起来了。

以前在台北吃营养午餐时，他都会拜托打菜的同学。如果是不喜欢吃的青椒和小鱼干就少盛一点，遇到他最喜欢的咖喱饭就多加一点。那些平凡无奇的小事，现在看来都变得如此美好。

睿瑜想起唠叨的妈妈，他好想再听一次妈妈的唠叨。还有老是不守信用的爸爸，他好想再看一次爸爸爽约时为难的滑稽表情。就连他吃腻了的速食店和便利商店都好久没去，网络游戏也好久没碰了。

看着奶奶为他准备的丰盛菜色，睿瑜的眼泪却一滴滴掉下来了。他好想家，好想回台北。但他只是一个小孩,爸爸妈妈又在大陆,他只能乖乖待在这里,等爸爸、妈妈从大陆回来接他。没有胃口的睿瑜,只吃了几口饭就食不下咽了,他将剩下的饭菜倒在垃圾桶里,不想让奶奶发现他的异状。

日复一日的校园生活,并没有随着时间的流逝,而让睿瑜和同学更加亲近。睿瑜还是和同学们格格不入,加上他老是一个人跑到凉亭吃饭,让大家和他更疏远。

到了晚上,睿瑜常常一个人躲在被子里偷偷掉眼泪,在这里没有朋友、没有电动的他,比在台北还孤单。虽然爷爷、奶奶对他很好,但是需要友情的那一部分,是爷爷、奶奶没有办法填补的。从小就是独子的他,不太懂得如何和别人相处,加上他大部分的时间都沉迷于网络游戏和电动,以致不会主动和别人建立关系。要在一个全新的环境中认识新朋友,对睿瑜来说,是一件很困难的事情。

"只要再待个一两年,我就可以离开这里了。"皱着眉头,紧闭双眼入睡的睿瑜,只想要逃离这里的一切,睿瑜在心中安慰自己,只要捱过这段时间就好,不要想太多。

有时候,奶奶会在半夜来帮睿瑜盖被子,却发现他全身缩在一起睡着了。

"这孩子会冷吗?"看到睿瑜怪异的姿势,奶奶困惑地想。

"看来明天要去买厚一点的被子给睿瑜盖。"奶奶完全没想过睿瑜是因为孤单,才会这样就睡着了。

有一首歌是这么唱的:"天上的星星,为何,像地上人群般的拥挤;地上的人儿,为何,像天上的星星般疏离。"

满天的星星闪耀着一点一点的光芒,看到的人也许会笑它们为何像地上的人群一样拥挤;而它们或许也在嘲笑着地上的人们,为何像星星一样疏离。

睿瑜现在的心情,就像天上的星星一样,外表灿烂,内心却孤寂。

3

教学观摩恐怖日

这一节是睿瑜最不喜欢的作文课，要凭空瞎掰出那么多字，真是一件花费脑力的事情。

"今天的作文题目是《我的暑假》，请各位同学将你们印象最深刻，或是最开心的暑假写下来。"老师在黑板上写下今天的作文题目，第一堂课请大家先打草稿，第二堂课再把文章正式写在作文簿上。

"请你们先写下每一段的大纲，再写出详细的内容。"老师站在讲台上说话。

两堂课要一直写字，更惨的是还要绞尽脑汁才想得出来。

睿瑜一边旋转着铅笔，一边努力地想，要写些什么内容。他咬着铅笔，望着窗外的白云发呆。以前在台北，不是补习就是打电动，实在乏善可陈。啊！可以写暑假在爷爷、奶奶家玩的事情。因为这里和他原本居住的城市相差很多，应该很好写吧。

睿瑜开始振笔疾书，洋洋洒洒，很快就写完一篇文章。

作文课之后是体育课，全班同学在学校操场集合，体育委员带大家跑完操场两圈之后，开始做体操。

"今天我们要练习拔河，单号一组，双号一组。"体育老师将全班同学分成两组，准备开始练习。

"张老师，办公室有人找你。"工友前来通知体育老师。

"老师去一下办公室，你们先自己练习。"体育老师丢下这句话就离开了。

大家根本不理老师交代的话，开始聊起天来。睿瑜坐在大树下乘凉，大热天的上体育课，真是要命喔。这时候，睿瑜突然看到一个熟悉的身影。爷爷正扛着锄头准备到菜园种菜，学校是爷爷到菜园的必经之路。

眼睛不好的爷爷并没有看见睿瑜，一直到经过大树旁边才发现睿瑜坐在那里。

"你们今天要拔河啊？"爷爷看到拔河的绳子，开口问睿瑜。

睿瑜点点头没说话，不过旁边的同学却帮忙回答："对啊。"

"我跟你说，拔河的时候一定要紧紧抓住绳子。不能放手，知道吗？"爷爷一边说还一边比画动作，让睿瑜觉得很丢人，因为他不想让别人知道那是他的爷爷。

"那我去菜园啦！"爷爷完全没发现睿瑜的异状，拿起锄头又继续往菜园走。

"那是你的谁啊？为什么会跟你讲话？"同学好奇地问。

"我也不认识他，好像是我们家附近的邻居吧！"睿瑜不知道自己为什么要说谎，在当下，他就是不想让别人知道那是他的爷爷。但是话一说出口，他就后悔了，心中充满了罪恶感。

爷爷有什么好让人丢脸的，大家都有爷爷啊。但是其他同学都跟爸爸、妈妈一起住，只有我是和爷爷、奶奶一起住。如果被班上的同学知道了，他们一定会笑我是没有爸爸、妈妈的小孩。既然话都说出口了，就要想办法坚持下去。但是睿瑜并不知道，说了一个小小的谎，就必须用更多的谎来圆。

"今天要介绍给大家的书是《学说谎的人》。"老师每个礼拜的班会时间都会介绍一本故事书给大家看，之后会请大家阅读这本书，再一起讨论书中的内容。

"这本书的内容很简单，是说主角阿福因为太容易相信别人了，不但被人家欺负还被骗了钱，爸爸气得赶他出门去学说谎。阿福因为相信别人而有不平凡的能力，最后为了救人，而说了一个善意的谎言。"

"但是我要同学阅读这本书的用意并不是鼓励说谎，而是要大家仔细思考，书中的主角阿福为什么要学说谎？难道没有其他解决的方法了吗？下一次的班会，我们再一起讨论这个问题。"老师在台上滔滔不绝地说着，睿瑜却陷入了沉思。

说谎，如果可以不说谎该多好，那就不会良心不安了。正当睿瑜思考着说谎这件事情的时候，老师接下来说的话，仿佛是上天给他的惩罚。

"各位同学，下个礼拜五是我们这学期的教学观摩日。老师现在把通知单发下去，带回家给你们的爸爸、妈妈看，请他们一定要来参加。"老师说完就发下通知单，上面写着教学观摩日的时间和地点。

"好麻烦！"一分头男生咕哝着，要让爸爸、妈妈看到自己在学校上课的情形，真是讨厌。

台下其他同学也在抱怨着，似乎没有人喜欢父母来参观自己上课的情形。

"糟糕！"睿瑜头皮发麻，爸爸、妈妈都不在台湾，那不就要叫爷爷、奶奶来参加。

天啊！那他说的谎不就会当场被戳破了？该怎么办呢？睿瑜马上想到这件恐怖的事情真是大事不妙啦！如果爷爷、奶奶来参加教学观摩，同学们就会发现他是和他们住在一起。依照同学们的个性，一定会笑他是没有爸爸、妈妈的小孩。看来只好硬着头皮，想办法不让爷爷、奶奶知道这件事，绝对不能让他们来参加教学观摩。睿瑜暗自下定决心，说什么也要阻止爷爷、奶奶来参加教学观摩。

放学之后，睿瑜特别绕到火车站后面的河边，趁着四下无人,偷偷将教学观摩日的通知单丢入河内。

"这样就万无一失了。"睿瑜心中感到些许不安,这是他第一次骗大人呢。

嗯……除掉三年级时他把数学考卷丢在地铁站的垃圾桶那一次不算。虽然有点不安,也只能出此下策了。睿瑜若无其事地走回家里,心想到时候只要随便跟老师编个借口,说父母没办法参加教学观摩就好了。

睿瑜心中的如意算盘打得很响,希望一切都可以按照他的计划进行。

"你后来参加拔河比赛有没有赢啊?"爷爷想起今天早上的事情,顺口问睿瑜。

"有啊。"睿瑜心虚得点点头。

"你看,爷爷教你的方法没有错吧,只要紧紧抓住绳子不放就对了。"爷爷又开始吹牛了。

"以前爷爷年轻的时候力气很大,村子里的人找我'扳手腕',都赢不了我。"

"什么是'扳手腕'?"睿瑜问。

"就是比腕力啦,听你爷爷又在吹牛了。"奶奶吐槽说,"这么厉害,不会出国比赛喔。"

"这个'扳手腕'也是有技巧的,我教你……"爷爷一边传授"扳手腕"的技巧,一边吹嘘他年轻时有多厉害,好像在讲古话一样。

隔天中午,睿瑜在学校的凉亭里吃完午饭,走进教室时听到阵阵笛声,全班都在练习吹直笛。他这才想起来,今天下午第一节课是音乐课,老师要考直笛。难怪大家吃完午餐后,都乖乖地坐在位子上练习。那他也得赶紧练习了,他可不想补考呢!

"糟糕,忘记带直笛了。"当睿瑜正想从书包里拿出直笛练习时,才发现自己忘记带来学校。

"没办法,只好请奶奶送来。"睿瑜走到学校的公共电话旁,打电话给奶奶。

奶奶每天中午都会留在家里睡午觉,因为奶奶觉得"睡眠是最不花钱的营养",所以睡个午觉可以让奶奶有更多的精力。

"喂,奶奶,您在睡午觉吗?"睿瑜问。

"还没有,正准备要去睡呢。"奶奶回答。

"我忘记带直笛了,可不可以麻烦您帮我送来学校。"睿瑜在电话的这端说。

"你在哪一班？我帮你送去。"奶奶立刻答应。

"不用了，我在校门口等您。"睿瑜赶紧拒绝，深怕奶奶将直笛送到教室，他的谎话就被识破啦！

挂上电话之后，睿瑜走到校门口前等待奶奶。等了一会儿，睿瑜看到一个身影走向校门。但是那个人不是奶奶，竟然是他的老师，睿瑜想躲也来不及了。

"老师好。"睿瑜僵硬地向老师问好。

"睿瑜，你在这里做什么？"老师撑着洋伞问睿瑜。

"我忘记带直笛，请家人帮我送来。"睿瑜不好意思地回答。

"正好，我还没见过你的家长，可以跟他聊一聊。"老师的话，让睿瑜紧张万分。

就在此时，奶奶刚好拿着直笛过来了。

"睿瑜啊，你的直笛。"奶奶将直笛交给睿瑜，她看着旁边的老师说，"哎呀，你是睿瑜的老师吗？你好。"

"你好，请问你是睿瑜的家人吗？"老师点点头，询问睿瑜的奶奶。

"我是他的奶奶啦！平时睿瑜麻烦你照顾了，这孩子的爸爸、妈妈都在大陆工作，暂时跟我们住在一起。"

奶奶不停地向老师鞠躬点头，感谢老师平时的辛劳。

睿瑜心中的警报大响，不妙！他的谎言要被拆穿啦！

"奶奶，中午的太阳很大，您赶快回去吧。"睿瑜不停催促奶奶，生怕老师继续和奶奶聊下去。

"那我就先回去了，老师再见。"

睿瑜松了一大口气。

"神啊！要是你可以让我度过这次的难关，我一定会当个乖小孩的。"睿瑜在心中暗自祷告。

"奶奶，请你等一下。"老师叫住正准备离开的奶奶，看来上帝并不希望睿瑜当个乖小孩。

"下个礼拜三的教学观摩日，您方便来参加吗？"天啊，睿瑜好想捂住老师的嘴巴，求求她别再说了。

"当然没有问题，学校的事情我们要尽量配合。"奶奶马上一口答应了。

"因为睿瑜是转学生，我想多了解睿瑜在家的状况。"老师向奶奶说明。

"请问老师教学观摩是几点啊？"奶奶问。

"糟糕，这个问题不能问啊！"睿瑜在心中大叫。

"咦？昨天不是已经发下通知单了吗？"老师问。

眼看着谎话就要被戳破了，睿瑜的脸涨成像猪肝一样的暗红色，还满头大汗的。

"啊！"奶奶看到睿瑜怪异的表情，立刻用手轻拍自己的头说，"年纪大了真没用，我都忘记了。"奶奶笑着说，帮睿瑜化解了这个大危机。

"到时候请你务必出席。"老师不疑有他，以为真的是奶奶忘记了。

"那我先回去了。"奶奶对睿瑜挥挥手，也向老师点点头。转身慢慢地走回家，烈日下，奶奶佝偻的背影，让睿瑜心中感到更加愧疚。

自己说的谎，还要奶奶帮忙圆，真是太不应该了。但是，谎话一旦说出口，就很难将它收回。放学后，睿瑜回到奶奶家。

"睿瑜，你回来啦。"奶奶从房间里露出半个头来，睿瑜心想奶奶该不会是要问他教学观摩通知单的下落吧。

"你过来一下。"奶奶神秘地招招手叫睿瑜过去，让睿瑜更加确定自己的猜测。

算了！伸头是一刀，缩头也是一刀，只好豁出去了。

"奶奶,我告诉您……"睿瑜怀着破釜沉舟的决心,要坦白说出一切。

这时奶奶兴冲冲地从房间里走出来,身上穿着很漂亮的衣服。

"你看,我穿这样去参加教学观摩好不好?"这件衣服是奶奶最中意的一套衣服,每当有重要的大事时才会穿出门的王牌装。

"嗯,很好看啊。"睿瑜松了一口气,原来不是要逼问他。

不过他根本无心欣赏奶奶精心的打扮,只想着要如何阻止奶奶去参加教学观摩。

"我也要帮你爷爷想一下参加教学观摩日的服装。"奶奶一副兴致勃勃的样子。

"什么?爷爷也要去喔?"睿瑜大吃一惊,如果爷爷也去,一定会被大家发现他说谎的。

"对啊!这么重要的事情,爷爷当然要参加啰。"看到奶奶一脸理所当然的样子,睿瑜心中大喊不妙。

有没有办法让爷爷奶奶不要参加呢?睿瑜绞尽脑汁想着。嗯,例如跟他们说教学观摩日改时间了。要是爷爷奶奶问老师改哪一天怎么办？不行。啊！跟他们说因为老师有事情，所以要取消。出车祸还是突然生病那一类的。不过，这样好像对老师太残忍了。到底该怎么办呢？如果让爷爷、奶奶去参加教学观摩日，班上同学就会发现他说谎，以后就更没有人理他了。

睿瑜用力地抓着自己的头，他的头都快痛死啦。如果不让爷爷、奶奶去参加，他就必须对老师和爷爷、奶奶说谎。唉！说谎真的是一件很累人的事情。

"对了！"睿瑜灵光一闪，只要爷爷不来参加，就不会被同学发现他说谎了。

没错！只要叫爷爷不要来，就可以将伤害降到最低了。顶多被同学嘲笑和奶奶住在一起。

但是睿瑜的心中还是感到很不安，不习惯说谎的他，为了一开始所说的小小谎言而苦恼着。睿瑜一整晚在床上翻来覆去，无法入眠。直到想到妙计，才在半梦半醒中睡了一会儿。

隔天早上，睿瑜开始进行 A 计划。

"爷爷，听说镇上在举行莲雾节(注:台湾地区的一种农业节日，莲雾是台湾地区产的一种水果。)的庆祝活动,你要不要和奶奶一起去参加啊?"睿瑜一早起来就缠着爷爷不放。

"哇!一定很热闹,是什么时候举行啊?"爷爷很感兴趣地问。

"下个礼拜五早上,你带奶奶一起去嘛。"睿瑜故作贴心地说,"你们好好玩,我会乖乖在家等你们回来的。"

"真是我的乖孙子,我找你奶奶一起去。"爷爷开心不已,这可是宝贝孙子的心意呢。

正当睿瑜在心中大喊"YES!"的时候,爷爷又开口了。

"不过……"爷爷犹豫不决的样子,让睿瑜紧张起来。

"不过怎样?"睿瑜问。

"不过睿瑜一个人在家里太可怜了,你那天请假一起去好了。"爷爷说。

"真的吗?"万岁!连老师那边都不用编理由,直接请假就好了。睿瑜在心中用力地拍拍手。

正当睿瑜觉得世界多么美好,空气多么清新的时候,爷爷又开口了。

"唉哟!不行不行,那天是你的教学观摩日。"爷爷翻开日历一看，发现那天是很重要的日子。

"你们还在上面做记号！"睿瑜看着日历上大大的星星记号，完全粉碎了他的美梦。

"当然，那一天这么重要。"爷爷连要出席的服装都想好了，"我还要穿我最帅的衣服去参加教学观摩呢！"

"好吧！"睿瑜走投无路，只好执行 B 计划了。

这是万不得已的下下策，他真的不想这么做。

"对不起了，爷爷。"

在教学观摩恐怖日的前一天，睿瑜偷偷跑到爷爷的菜园，将爷爷辛辛苦苦种的萝卜全部连根拔起。好累喔！睿瑜额头上滴下大颗大颗的汗珠，拔萝卜还真是累人，为了要让爷爷无法准时出席教学观摩，这是他最后的绝招了。为了绊住爷爷多一点时间，睿瑜很努力地拔着萝卜，快把他给累死了。直到天都黑了，睿瑜才慢慢地走回家。

"爷爷，不好了。"睿瑜故意大呼小叫地跑进家门。

"我刚刚经过你的菜园，有小偷把你的菜都拔起来了。"

正在抽烟的爷爷立刻从椅子上跳起来。

"我去菜园检查一下。"爷爷坐立难安,想赶紧去巡视菜园的状况。

"不要啦,现在天都黑了,等到明天早上再去吧。"睿瑜打的如意算盘,就是爷爷为了收拾菜园,明天早上会忙得没有时间参加教学观摩,当然不能让他现在就去菜园啰。

"对啊,现在去菜园有点危险。"奶奶担心爷爷跌倒受伤,也跟着附和。

"好吧。"爷爷不再坚持己见。

看到爷爷一脸担心的样子,睿瑜觉得很对不起爷爷,但是为了达到目的,他只好牺牲萝卜了。

今天晚上,睿瑜睡得十分香甜,他认为这个计划万无一失,确信明天可以安然度过。

早晨的鸡鸣声一响起,睿瑜马上起个大早。

"奶奶早。"睿瑜和正在煮早餐的奶奶打招呼。

"早,赶快去吃早餐吧。"奶奶正在煎蛋,等一下煮完早餐,她要去换上美美的衣服。

"咦? 爷爷,你怎么没去菜园? "往常这个时候,爷爷都已经去菜园了。今天怎么还坐在客厅里看报纸,而且还穿着很正式的衣服，好像……好像要去参加教学观摩的样子。

"我一大早就去菜园巡视了。"天才刚亮，爷爷就去巡视菜园的状况。

"那个小偷真奇怪，帮我把萝卜全部拔起来，也没有偷走，就放在菜园旁边。我本来就打算今天要采收那批萝卜，这下倒帮我省事。"爷爷真的很困惑，从没遇过帮别人采收的小偷。

睿瑜根本吃不下早餐，原本打好的如意算盘全被打乱了。惨了啦，这下想办法也来不及了。

"我先出门啰。"睿瑜无精打采地背起书包，准备上学去。

毫不知情的爷爷奶奶热情地对睿瑜说："你先去上学，待会儿我们再过去。"由于教学观摩是早上九点才开始，爷爷、奶奶不必这么早到学校。

"爷爷会穿得很帅再过去的，你放心。"爷爷看到睿瑜有点紧张的样子，用力拍胸保证。

"好。"睿瑜低着头走出门口。

睿瑜拖着沉重的脚步走进教室，从今天起，他就会变成全班同学的笑柄。连他都瞧不起自己，竟然假装不认识自己的爷爷。睿瑜只能祈祷时间过得慢一点，可是很快地就到了教学观摩的时间，每位同学的父母陆陆续续到了班上，和自己的孩子打招呼。

父母还没来的同学一直往教室外张望，期盼父母赶快出现。睿瑜不用往外看也知道，自己的父母是不可能出现的。

"你看，那是谁的妈妈？好老呀。"班上的同学突然交头接耳，窃窃私语。

睿瑜抬头一看，原来是奶奶来了。

听到同学的话，睿瑜的头又低了下去。

"睿瑜，我在这里。"奶奶向睿瑜招手，她说，"你爷爷去上厕所，等一下就来了。"

"那个不是他妈妈吗？"同学悄声问。

"应该是他的奶奶吧，看起来那么老。"另一个人这样猜测。

"那唐睿瑜的爸爸、妈妈怎么没来？"

"他该不会没有爸爸、妈妈吧？"因为睿瑜很少和同学交谈，没有人知道睿瑜家的状况。

睿瑜默默地低着头,身旁的同学低声讪笑,因为低声交谈而显得模糊的声音,反而刺痛了睿瑜的心。

"各位同学,今天是教学观摩的日子,你们的爸爸、妈妈都到学校来看你们上课。请你们好好表现。"老师站在讲台上说。

"好的,那么我们开始上课。这一节是作文课,我先将大家的作文本发下去。"

老师先将大家上个礼拜所写的作文发下。

"现在我要请同学念出自己的作文内容给大家听。"老师看着班长说:"李美嘉,由你先开始。"

班长拿着作文簿站起来,开始朗诵她的作文。

"《我的暑假》,每年暑假,爸爸、妈妈都会带我出去玩,所以我最喜欢暑假了,他们会带我去每一个美丽又好玩的地方。去年暑假,我们一起去绿岛玩,那里的海底十分美丽,犹如童话王国般⋯⋯"班长很认真地念完自己的作文,连她的妈妈也在一旁帮她鼓掌。

"美嘉的作文很生动,让老师听了也很想和她一起出去玩呢。美嘉妈妈有空可以和大家分享旅游的经验。"老师会先和家长互动之后,再继续请下一位同学起来发表自己的文章,睿瑜很怕自己会被老师点到,他转头看向教室后面,爷爷也到了,和奶奶一起站在后面。

怎么办?要是起来念完作文之后,老师如果和爷爷、奶奶说话,大家一定会发现爷爷就是那天他假装不认识的人。拜托,不要叫到他。老师的眼睛似乎看着睿瑜,睿瑜已经有心理准备要站起来了。

"陈智胜,请你念出你的作文。"老师对睿瑜隔壁的一分头男生说。

"好,《我的暑假》。我最喜欢打棒球,平时只能在下课的时候打,打一下下就天黑了。放暑假的时候,我可以天天打棒球,也不必写作业,所以我最喜欢放暑假了……"一分头的智胜,有点结巴地念着自己的作文,虽然紧张还是把作文念完了。

"希望智胜除了打棒球也要多念书,你的作文里面有不少错字,要请妈妈多多注意。"老师说。

"是,我知道了。"陈智胜涨红了脸,似乎很不好意思的样子。

全班同学陆陆续续念完自己的文章,下课时间也快到了。睿瑜松了一口气,老师说不定不会叫他起来。

正当睿瑜乐观地这么想着时,耳边却传来自己的名字。

"唐睿瑜,轮到你了。"老师的声音犹如冰冷的鞭子打在睿瑜身上,该来的还是躲不过。

睿瑜硬着头皮拿起作文簿开始朗读:

"《我的暑假》。我所生活的地方是大都市,那里没有令人心旷神怡的自然美景,只有科技便捷的冰冷建筑。一直以来,我每天的生活总是被补习班的才艺课填得满满的,唯有在暑假的时候,才能够得到几天喘息的时间,到乡下的奶奶家玩。在都市里,我唯一的休闲娱乐是打电动;在乡下,我有看不完的青山,游不完的绿水,大自然都是我的朋友,还有全世界最棒的爷爷、奶奶陪着我。我的爷爷很喜欢'吹牛',最喜欢说他以前当兵时是海军陆战队的,或者是以前在村子里比腕力有多厉害。虽然有时候会听不懂爷爷说的话,但是有很多事情是不需要言语就能沟通的。爷爷最喜欢偷偷带着我去巷口的杂货店买糖果,这是我们两个人的小秘密。我的奶奶是一个很节俭的人,她会带我去河边洗头,还懊悔忘了带肥皂,不然就可以顺便洗澡了。虽然有时候我会被奶奶的节约方法给吓到,但是却让我不得不佩服她的生活智慧。我是爷爷、奶奶的宝贝，能够和这么棒的爷爷、奶奶在一起，是暑假里最幸福的事情。"

睿瑜低头念着作文，心中同时想起爷爷、奶奶对他的好。他竟然怕爷爷、奶奶让他丢脸，而不希望他们来参加教学观摩。懊悔的眼泪一滴滴掉在作文簿上，虽然作文念完了，睿瑜却决定说出实话，他低着头继续说："现在我的父母因为工作的缘故，必须搬到大陆工作。所以我搬来和爷爷、奶奶一起住。不过，这么棒的爷爷、奶奶我并没有好好珍惜，甚至认为很丢脸。所以当同学问我认不认识爷爷时，我竟然装做不认识他，还想尽办法不让他们来参加教学观摩。"

睿瑜语带哽咽地说："我骗了奶奶，把教学观摩的通知单丢到河里，还把爷爷菜园里的萝卜全部拔起来。只为了不让同学们看到他们，我错了，我要跟大家说，他们是全世界最棒的爷爷和奶奶，他们就站在教室的后面。"

全班同学都转头看着睿瑜的爷爷、奶奶，他们显得有点不好意思。

"我觉得睿瑜很幸福，虽然爸爸妈妈不在身边照顾他，但是有爷爷、奶奶疼他。我很羡慕他，因为老师的爷爷、奶奶已经不在了。"老师说，"睿瑜的爷爷、奶奶也很幸福，因为他们有睿瑜这么诚实又勇敢的孙子。"老师的话，轻易化解了睿瑜担心的事情，也让班上的同学对这件事情有了正面的想法。

　　"对啦，我真的很有福气，才有这么棒的孙子。"奶奶完全不介意睿瑜说谎的事情，很高兴地说。

　　"我还要感谢睿瑜帮我拔萝卜，省了我不少麻烦。"爷爷也笑眯眯地说，"事情过去就算了，不要想太多，还有，我以前真的是海军陆战队的，童叟无欺。"

　　"唐睿瑜的爷爷、奶奶人好好喔，真羡慕他。"班长说，"我的爷爷、奶奶住在台中，我也要很久才能看到他们一次，不像唐睿瑜可以天天和爷爷、奶奶在一起。"听到老师和班长这么说，班上的同学也都认为睿瑜很幸福，纷纷羡慕起他来了。

　　"其实我有时候也会说谎，只是没有被发现而已，所以睿瑜不必太过于自责啦。"另一位同学举手发表自己的想法。

"谢谢你。"睿瑜没想到说实话比说谎话轻松多了，而且同学们也敞开心胸和他说话。

"你才刚搬来不久，如果有什么不知道的事情都可以问我们。"另一位同学说。

"放学以后我们也可以一起玩。"面对同学们的热情，睿瑜有点不可置信，他还以为同学们会笑他是没有爸爸妈妈的小孩呢。

"谢谢大家。"这一次的教学观摩能以喜剧收场，算不算是说谎所带来的意外收获呢？

不过睿瑜不想再说谎了，真是太累了！嗯，至少近期之内他都不想说谎了啦！下次的班会，他一定要大声告诉大家："说谎，好累。"

4

爷爷的路易斯威尔球棒

每天中午,值日生会去午餐室,将全班蒸好的午饭抬到教室。睿瑜虽然已经不在乎午餐盒的外观美丑会不会引来同学的嘲笑,但还是习惯一个人拿着午餐到教室外面的凉亭用餐。

"今天……要不要一起吃饭?"正当睿瑜准备离座时,有人邀请他一起吃午餐,原来是隔壁的一分头男生,涨红着脸,结结巴巴地开了口。

"好啊。"睿瑜很爽快地答应了,他坐下来打开午餐盒,和一分头一起用餐。

没想到他竟然主动开口,睿瑜感到很开心,今天的午餐似乎特别有滋味。

自从上次的教学观摩之后，班上的同学都对他友善许多，连一分头也打开心门邀请他一起用午餐。两人沉默了一阵子，都在思索要如何开口和对方说话。

"你的热狗是章鱼的样子啊！"一分头像发现新大陆似的大叫。

章鱼热狗，就是把热狗的尾端切成条状，就会变成章鱼的形状，煎好之后，奶奶还细心地用黑芝麻贴上章鱼的眼睛，这对小学生来说真是太有吸引力啦。

"这是我教奶奶做的。"睿瑜可得意了，这是他在电视上看到，特别向奶奶指定的菜色。

"你奶奶真好。"一分头很羡慕他，因为他的午饭很普通，全是前一天晚上吃过的剩菜。

"你要不要吃吃看？"睿瑜很大方，问一分头要不要吃。

"不用了，你吃就好了。"一分头客气地推辞，其实心里想吃得要命。

"不要客气啦，这个真的很好吃喔。"睿瑜直接将章鱼热狗夹到一分头的饭盒里头。

一分头盛情难却地将章鱼热狗放入口中，咬了一口之后，他开心得大叫："真的很好吃耶。"

睿瑜和一分头两人相视而笑，想不到是章鱼热狗为他们搭起友谊的桥梁。

隔天，中午吃饭时，一分头发现睿瑜带了两个午饭盒，一个是原本的午餐盒，还有一个小盒子。

"这是什么？"一分头好奇地问。

"你看。"睿瑜打开小盒子，里面装满了章鱼热狗。

"因为太好吃了，我特地请奶奶多做一点。"睿瑜想和同学一起分享章鱼热狗的美味。

"好棒喔！"一分头自从昨天吃过章鱼热狗之后，就一直念念不忘它的滋味。

"什么事情这么高兴啊？"连坐在附近的同学都忍不住凑过来，瞧瞧发生什么事情。

"这是唐睿瑜他奶奶做的章鱼热狗。"一分头得意地向同学说明，"不但外型可爱，还很好吃呢。"

"真的吗？我也想吃吃看。"同学露出一脸嘴馋的样子。

"今天准备很多，不要客气。"睿瑜说。

"唐睿瑜的奶奶真好,还会做章鱼热狗给他吃。"同学们纷纷发出羡慕的声音。

"是上次参加教学观摩的那个奶奶吗?"同学问。

"笨蛋,不然还有别的奶奶吗?"一分头说。

"唐睿瑜,这是我妈妈做的炸丸子,和你的章鱼热狗交换。"班长也被吸引过来,想和睿瑜交换午餐。

"好哇,你的炸丸子看起来好好吃。"睿瑜很开心能够和同学们一起聊天、吃饭,在今天之前,他完全没想到可以和大家相处得如此愉快。

"我明天也要带东西来交换。"其他同学说。

隔天,班上开始掀起一股交换午餐风,大家会互换想吃的菜色,品尝别人妈妈的手艺。

因为如此,班上中午的气氛十分热闹,大家的感情更好了,睿瑜也因此融入同学们的世界。这件事情持续没多久,便传到了老师的耳朵中。

"听说最近大家很流行交换午餐里的菜。"一天早上上课时,老师说:"连训导主任都跑来跟我说,我们班中午的时候特别吵。"

大家噤声不语,不敢回答老师的问题。

"这件事情我不反对,但是有一件事情我希望大家可以做到。"老师说,"偶尔也跟我交换一下,每天都吃自己做的午饭也会腻的。"

全班放声大笑,原来老师也想和他们交换午餐啊。

"老师,你煮的菜好不好吃啊?"台下有人问。

"当然好吃啰,保证卫生不会拉肚子。"老师拍胸保证。

"如果偶尔有点烧焦,你们不会介意吧?"

"介意。"全班很有默契地说,完全不给老师面子。

"今天我们要练习第五十页的歌曲,请翻到这一页。"音乐老师有着一头飘逸的长发和甜美的声音,上音乐课时总是会一边弹琴一边请大家跟着唱歌。

虽然音乐老师长得像仙女一样,但是睿瑜就是没有办法喜欢她。就像武林高手都会有一个死穴,又好比是希腊神话里的阿喀琉斯(注:荷马史诗《伊利亚特》中的英雄,他是参加特洛伊战争的一个半人半神的英雄),全身刀枪不入,只有脚踝是他的弱点。对睿瑜来说,要他开口唱歌,就像拿刀子砍阿喀琉斯的脚踩一样。

他真的拿唱歌没办法,五音不全又不是他愿意的,他最讨厌硬逼别人唱歌的人。你以为每个人都会唱歌吗?哼!这就是他无法喜欢音乐老师的原因。

"下一次上课的时候,我要考唱歌,这是你们的期中成绩呀。"音乐老师温柔地说。

睿瑜真想问老师可不可以用吹笛子来代替,在全班面前唱歌,他不想啦。正当睿瑜心烦意乱的时候,突然看到旁边的一分头也是一副面有难色的样子。

"你该不会也是不喜欢唱歌的人吧?"睿瑜偷偷问他。

"不是不喜欢,是讨厌啊。"一分头面露苦恼的表情。

"Give me five(注:意为与他人击掌,表示庆祝胜利或高兴等)。"虽然是上课时间,睿瑜还是偷偷地和一分头击掌,找到同病相怜的人了。

到了下课时间,两个人开始大谈唱歌的痛苦。

"记得我幼稚园的时候,老师因为我不唱歌而敲我的头。"睿瑜率先发言。

"我比你更惨,我一年级的时候不知道自己唱歌很难听。直到唱歌时发现全班同学都盯着我看，才知道自己的声音跟青蛙叫没两样。"哇！一分头的确比他惨，睿瑜甘拜下风，决定把宝座让给他。

这是睿瑜第一次在下课时间和一分头聊天，其实他的人还不错嘛。

一个礼拜的时间很快就过去了，睿瑜虽然很努力练习唱歌，还是不太有把握。

"喂，明天的唱歌考试怎么办？"睿瑜问一分头。

"我要假装生病，请假不来。"一分头早就想好要怎么做了。

"你好奸诈，那我怎么办啊？"睿瑜嘟着嘴说，"那我也要请假。"

"不行啦，同一天有两个人请假，老师一定会起疑心的。"一分头说，"而且我们还坐在一起，你不能请假。"

真是狠心，竟然弃朋友不顾。一分头，我真是看错你了。睿瑜虽然很生气，也只好硬着头皮去上课啰。

"因为时间的关系，我要请全班分组上台唱歌。"因为一个一个上台唱歌必须花费很多时间，所以音乐老师决定分组唱歌。

"太棒了！"睿瑜心中只想着自己可以鱼目混珠，整个人笑咧了嘴。

由于和大家一起唱歌，胆子也比较大，睿瑜这才敢放声唱出来。虽然并不悦耳，至少他通过唱歌的考试了。

"现在全班都已经考过了吗？"音乐老师问。

"老师，陈智胜今天请病假。"班长举手告诉老师。

"好，那下次上课请他一个人上台唱给全班听。"因为只剩下他一个人还没考试，所以他必须独自上台唱歌。

"哈！哈！哈！"睿瑜在心中捧着肚子大笑，"大笨蛋！下次要一个人上台唱歌，真是弄巧成拙。"

等一分头明天来上学时，听到这个晴天霹雳的消息，一定会哭出来的。

"哈！哈！哈！"真是太好笑了。

以后只要看到弄巧成拙这句成语，他一定会想到一分头的。

隔天一早，睿瑜特地很早就到学校去等一分头，他已经迫不及待想看到一分头听到这个消息的表情。

"早。"由于昨天请病假，一分头装得很虚弱的样子。

"我跟你说呀，昨天音乐老师让我们一组一组上台唱歌,所以一点都不恐怖。"睿瑜说。

"是吗,早知道我就不要请假了。"一分头小声地说,生怕被旁人听到。

"我还要告诉你一件惨绝人寰的事情。"睿瑜一本正经地说。

"什么事?"一分头斜眼看着睿瑜,想听听到底是什么恐怖的事情。

"音乐老师说,你下礼拜上音乐课时,要自己一个人上台唱歌给大家听。"睿瑜故意一字一字慢慢地说,他要仔细看看一分头的反应。

"什么?"一分头立刻从椅子上跳起来,和刚刚装病的模样判若两人。

"你的反应会不会太夸张了。"一分头的反应比他预期的还大,真的快把他给笑死了。

"你还笑得出来?"一分头的脸皱成一团,好像快哭出来了。

今天一整天,睿瑜的心情都好到不行。放学钟声一响,睿瑜立刻背起书包准备回家。

"我们棒球队的主将受伤了,目前还缺一个队员,你要不要加入？"一分头询问睿瑜。虽然唱歌是他的死穴，棒球却是他的最爱，他每天一放学就往球场跑，练球到天黑才回家，就连假日也会到球场打球。

最近球队伤号连连，就连主将大炮都扭伤腰，连最基本的九人阵容都快凑不出来了。如果他们在比赛时勉强上场，恐怕会造成更严重的运动伤害。

"可是我不会打棒球，连规则都不太懂。"睿瑜只玩过电动版的棒球游戏，除了基本规则，其他可说是一窍不通。

"没关系，棒球规则不是用记的，下场打就会了。"一分头说，"一开始我也不懂规则，过没多久就爱上它了。"

"好吧。"反正放学之后也没事可做，不如去打棒球。

一分头先向所有的队员介绍睿瑜，并且带他去找教练。

"钟教练，他想要加入棒球队。"棒球队？不是玩玩而已吗？竟然要他加入校队。

"打棒球很辛苦的，你确定要加入？"钟教练是个看起来黑黑壮壮的中年人，很有运动员的样子，不过因为缺了一颗门牙，讲话有点"漏风"。

"我会努力的。"睿瑜内心也不太确定自己是不是能认真打球啦，毕竟他对棒球只是一知半解。

"好，只要你好好练，我会帮你找位子。我们现在缺三垒手，你就先练习三垒的守备吧。"钟教练说完就转身离开了。

"喔。"睿瑜心想，三垒是指哪个垒包啊？

"先做热身运动，跑完操场之后再过来集合，做传球练习。"钟教练对大家说。

"是。"全队精神抖擞地回答，看来这不是玩玩而已。

棒球的练习很辛苦，除非你真的热爱棒球，否则很难撑得下去。神奇的是，棒球是很容易令人着迷的运动。一开始，睿瑜常常被钟教练骂到狗血淋头。因为他老是搞不清楚要把球传到哪里去，要不然就是把球传到很离谱的位子，让想接的人根本就接不到。

"唐睿瑜，你是天兵还是暴传专家啊？"钟教练再次开骂，睿瑜又不小心把球传到外野去，如果是在正式的比赛里，等于白白送对方一支安打（注：安打是棒球及垒球运动中的一个名词，指打击手把投手投出来的球，击出到界内，使打者本身能至少安全上到一垒的情形）。

"对不起。"睿瑜也很气自己老是笨手笨脚的，连守备都练不好，更别提打击了，他连练习挥棒的权利都没有。

"没关系，大家一开始都被骂得很惨。"一分头帮睿瑜打气，他是球队的游击手，和睿瑜的守备位子很近。

"我看你先去旁边做传球练习好了，你要上场还早得很。"钟教练无可奈何地说，幸好最近没有比赛，不然这样的三垒手肯定是队上的包袱。

"你再不好好练，就换守外野吧。"原本看他的体型挺适合守内野的，如果练不来也没有办法，下下策就是把中外野手调来守三垒。

"钟教练，我会好好练习的，我想守好三垒。"睿瑜不愿轻易打退堂鼓，也不想被钟教练放弃。

"这是你说的，要记得喔。"钟教练点点头，这小子还算不错，有韧性。

睿瑜这天不停地练习传球，直到天黑才回到家里。隔天一早，他比平时提早一个小时起床，先到学校去练习传球。不过一个人练习很不方便，只能对着空气传球，再把球捡回来。

几天之后的早晨,睿瑜照例早起到学校去练球,不过今天有人比他更早到学校。

"怎么这么慢,我等你好久了。"一分头笑嘻嘻地说,他听说睿瑜昨天早起到学校练球,决定陪他一起练。

"你怎么会来?"睿瑜又惊又喜地说,如果一分头可以陪他一起练习传球,那就事半功倍了。

"我看你这么认真,怕被你赶上啊。"一分头故意开玩笑地说,"快点开始吧,不要浪费时间了。"

"谢啦。"睿瑜内心感激不已,一分头真是个好人,之前音乐课的诅咒,他要全部收回。

两个人每天早上练球一小时,放学再练习到天黑。一开始都会累到全身肌肉酸痛,连睡在床上都会痛,但是现在则是一天不练习都会全身不舒服。

经过一段时间的努力,睿瑜已经有长足的进步。

"唐睿瑜,今天要上场练习守备喔。"钟教练突然对睿瑜说。

"我可以上场了吗?"睿瑜好怕是自己听错了,赶紧再确认一次。

"我等你等到花都快谢了,还不上场。"钟教练的话虽然有点听不懂，但应该是可以上场的意思吧。

辛苦的日子并不是就此结束，只是告别这个阶段迈向另一个领域。上场守备考验的是即时反应，不但要眼明还要手快。睿瑜常常扑球扑得全身伤痕累累，黑青算是家常便饭，至于流血则是加菜。爷爷、奶奶看了心疼不已，常常劝睿瑜：要是受不了就放弃，没关系。睿瑜也意外地发现自己坚毅的一面，他从没想过自己可以这么坚持到底，即使受伤也不愿意放弃，也终于了解一分头为什么这么热爱棒球了。棒球是一项会让人全身热血沸腾的运动。

每天晚上回家，睿瑜会和爷爷打开报纸，一起讨论体育新闻里的棒球选手。尤其奶奶家没有第四台，所以没有办法收看棒球比赛。不过根据爷爷的说法，他年轻的时候对棒球也是很有天分，只可惜没去当棒球选手，所以祖孙俩常常聚在一起讨论王建民、郭泓志、陈镛基和耿伯轩那些旅美好手相台湾职棒的新闻。尤其是在二零零六年世界棒球经典大赛中打了满贯全垒打的陈镛基，睿瑜特别欣赏。睿瑜希望自己有一天也可以像他一样，用棒球让大家都知道台湾。不过他才刚开始打棒球,距离这个梦想还很遥远呢。

今天要开始练习打击,睿瑜十分期待。一开始,钟教练先教睿瑜正确的握棒姿势。

"双脚打开与肩膀同宽,重心放在大拇指上,脚距太宽的话,腰部无法扭转出力。"钟教练先教睿瑜正确的站姿。

"看你平时守备的惯用手,你应该是右打吧?"钟教练说,"把球棒竖立靠在大腿,两手靠拢以相对的角度去握棒,手指紧握球棒如扭湿毛巾状,使右手指的第二关节和左手指的第二关节与第三关节中间部分成一直线。"钟教练一边说,一边调整睿瑜的姿势。

"一开始不要心急,挥棒不要太过于用力,轻轻地就好。"说完钟教练就让睿瑜自己练习。

一开始,睿瑜握棒做空挥练习,直到姿势调整正确了,才能开始做击球练习。不过睿瑜完全碰不到球。只觉得球速好快,完全掌握不到击球的时间。充满挫败感的睿瑜心想:是不是球棒的缘故呢?他提出心中的疑问,询问钟教练他是不是该换支长一点的球棒。

"打击最重要的是你的挥棒速度,而不是球棒。"钟教练说，"球棒要选适合自己的，重的球棒打到的球，飞得比轻的球棒远。如果你挥不动重的球棒也打不远，照样打不好。倒不如每天回家做一百次的挥棒练习还比较实际。"

"是这样吗？"睿瑜回家乖乖照做，拿着扫把练习挥棒，但仍然觉得少了些什么。

"我问你喔，哪一个牌子的球棒最好打啊？"睿瑜在中午吃饭时问一分头。

"让我想一想，路易斯威尔、NIKE、ZETT、美津浓……品牌很多呀。不过球棒好不好打视人而定，安打型的球棒在击球甜蜜点部分范围较大也较粗，目的就是要让你有较多的机率确实命中球心，让球较强劲形成安打；而长打型球棒则较细长，击球点较小。"讲到棒球，一分头就像博士一样侃侃而谈，"像职棒的球评杨清珑就常常说：'球员要照自己的近况去选球棒，近况差的要拿较轻的；近况好的要拿较重的。'所以选球棒可是一门学问呢。"

"那到底是哪一个品牌最有名呢？比如说很多球员喜欢用的球棒。"睿瑜完全把一分头的棒球经当耳边风。

"有很多美国大联盟的选手,都喜欢用路易斯威尔的棒子,因为他可以依照球员特性为球员订做,并且依据球员的姓氏编号。例如全垒打王贝比鲁斯就是使用R43的球棒,因为他是第四十三位以他的姓氏R来命名自己球棒的选手。而兄弟象的蔡丰安的球棒是T160,因为他是第一百六十位姓氏开头是T,而且拥有个人专属球棒的球员。不过像陈金锋和张泰山,就是直接使用大联盟选手惯用的C271和C243棒型,并不是以自己的姓氏为开头来命名。"连球棒的型号都背起来了,真看不出来一分头的脑袋里装得下这么多东西,果然每个人都有不输人的地方。

"路易斯威尔。"睿瑜将这个名字记起来,完全不理会一分头的其他话。

"你知道陈金锋在大联盟用的蝙蝠牌球棒有多厉害吗?……"一分头以为睿瑜对球棒很有兴趣,热情地把所有的球棒知识说出来。

在结束棒球练习之后,睿瑜立刻飞奔回家。

"今天比较早回来喔。"每次睿瑜都练习到天黑才回家，今天奶奶饭还没煮好他就回来了。

"我想回家练习挥棒。"睿瑜说。

"练习得如何了？"爷爷问，看孙子每天都脏兮兮地回来，却一副很开心的样子，让爷爷很好奇。

"我现在在练习打击，如果表现得不错，钟教练会让我上场比赛。"睿瑜说，"可是，球队的棒子不能拿回家练习，我只能用扫把代替。"因为扫把比较轻，握起来的感觉也和球棒不同。

"难怪我常常看到你拿着扫把挥来挥去，原来是在练习啊。"爷爷恍然大悟，他还以为孙子在练武功。

"真希望有一支自己的球棒。"睿瑜说，"我同学跟我说路易斯威尔的球棒很好呢。"睿瑜跟爷爷暗示自己想要的球棒。

"麦斯威尔喔。"爷爷点点头，好像听懂了。

"不是啦，麦斯威尔是咖啡，我说的是路易斯威尔。"睿瑜又说了一遍。

"爷爷会想办法。"爷爷爽快答应了，让睿瑜的心中充满期待。

如果拿着路易斯威尔的球棒去队上，大家一定会羡慕到不行吧。哈哈，光是想象的就够开心了。有了路易斯威尔的鼓励，睿瑜更加努力练习挥棒了。

"过几天，我们要和成功小学进行友谊赛。"钟教练的声音中气十足，很大声地宣布下一次比赛的时间。

"努力练习，就有机会上场比赛。"钟教练还在前面滔滔不绝地说话，台下的队员们已经开始聊起天来。

"不知道有没有机会上场比赛。"这是睿瑜加入棒球队后的初次比赛，所以比其他的队员更为期待。

"你的守备不错，但是打击还不行啦。"一分头直截了当说出睿瑜的缺点，丝毫不留情。

"我偷偷跟你说喔，我爷爷要买路易斯威尔的球棒给我。"睿瑜难掩得意之情，虽然球棒还没到手，但是已经忍不住先说出来了。

"路易斯威尔，怎么可能。"一分头只有听过，还从没看过正牌路易斯威尔的球棒。对他们来说，用路易斯威尔的球棒打球，这简直是不可能的事情。

"等我爷爷买给我之后，可以借你挥两下。"睿瑜说，"其他人要跟我借，我还要考虑看看。"

"真的吗？"一分头眼中露出闪亮的光彩，兴奋之情溢于言表。

"如果能用路易斯威尔的棒子，一定可以发挥得很出色吧！"睿瑜想象自己在比赛中，用路易斯威尔的球棒挥出制胜的全垒打，全场欢声雷动的情景。

过不了多久，睿瑜有一支路易斯威尔球棒的事已经传遍全队。每个人都来拜托睿瑜，比赛时务必借他们，甚至还排好了使用轮替表。睿瑜还订下规定，每个人只能练习挥几下，上场时只能用一次，生怕棒子受到损害。大家为了能使用路易斯威尔的球棒，都心甘情愿地遵守规定。

"要跟大家说一个好消息。"钟教练很开心地说，"我们队上的主将大炮，腰部的伤已经好了，比赛前可以归队。"

大炮打击的 Power 很好，是队上倚重的打击手。自从受伤之后，让钟教练和队上的球员们都非常担心。幸好可以在赛前伤愈归队，大家都很高兴。

今天大炮也到球队里和大家一起练球。

"咦，我没有看过你，你是新加入的队员吗？"大炮问正在练习挥棒的睿瑜。

"我是最近刚加入的队员,请多多指教。"大炮是五年级的学长,棒球队里很注重学长学弟的制度,学弟们必须服从学长的指示,学长们也会尽其所能地照顾学弟。

"你的挥棒姿势不错,但是头和身体要保持直线。"大炮注意到细微的小地方,并且热心地提醒睿瑜。

"谢谢学长。"大炮学长人真好,真不愧是队长。

听了大炮学长的话之后,睿瑜更加努力地练习挥棒。

"这个菜鸟还挺认真的。"大炮对钟教练说。

"是还不错,但是缺乏经验,以前从来没有打过棒球。"钟教练欣赏睿瑜的韧性,但是距离能上场比赛还有一段距离。

"以新人来说,他算是进步神速了。"大炮受伤的日子算算还不到三个月,睿瑜就能有这样的表现,应该是付出不少努力。

"我打算比赛时先让他代跑,感受一下比赛的气氛。"钟教练说,"过一阵子再看看能不能首发。"因为现在大炮回来了,就不用担心首发人数不足的问题,钟教练可以做一些弹性的调整。

钟教练看着睿瑜练习挥棒的模样,心中也有了盘算。

今天家里来了一位客人，看起来有点怪怪的。睿瑜向他打招呼也不理会，只是静静地喝着爷爷泡的茶。

"这个茶叶很不错吧？"爷爷得意地说，"这个泡茶也是有技巧的。"

爷爷又开始吹牛，对方只是点点头默不做声。睿瑜心里虽然觉得奇怪，倒也不以为意，世界上有像爷爷这么爱吹牛的人，就有像他这么安静的人吧。

不过爷爷的这个朋友接连几天都来家里泡茶，也不说句话，真是奇怪极了。

"爷爷，我们明天就要和成功小学比赛了。"睿瑜在吃完晚餐之后，向爷爷报告，"我可能会上场打击喔。"

"那我有一个礼物要送给你，你等一下。"爷爷故作神秘，走到自己的房间里去。

"你爷爷要送你礼物啦，他准备了很久。"奶奶一边摺卫生纸一边对睿瑜说，奶奶会把平板式的卫生纸对摺，就变成抽取式的卫生纸了，而且价格也比较便宜。

"真的吗？"想也知道，一定是要送他球棒。哈哈，明天比赛就可以派上用场了。

"你看。"爷爷拿出一支球棒，虽然是球棒，样子却有点奇怪。

球棒是红色的，上面还写着睿瑜的名字。

"这是路易斯威尔的球棒吗？"睿瑜有点怀疑地问，虽然他没看过真的路易斯威尔球棒，但是这支样子实在很不像。

"不是啦！这是爷爷亲手做的。"爷爷有点不好意思地承认。

"爷爷做的？"什么？球棒还可以自己动手做！真是不敢相信。

"你爷爷为了替你做这支球棒，晚上都做到很晚才睡。"奶奶替爷爷说明。

"没有啦，只怕睿瑜不喜欢。"爷爷似乎很在意睿瑜的反应。

"爷爷，谢谢您，我很喜欢啦。"只是不是他想要的，睿瑜在心里偷偷地说。不过他怕爷爷伤心，不敢将实话说出口，这应该算是善意的谎言吧。

"我想说漆红色的比较漂亮，也比较抢眼。"爷爷说，"我还把你的名字写在上面，这样就不会不见了。"

"不用写名字也不会有人偷吧。"睿瑜在心里偷偷地想，这么奇怪的球棒谁有兴趣啊。

"我明天会带它去参加比赛的。"睿瑜说完之后，爷爷立刻露出开心的表情。

睿瑜想到他的路易斯威尔球棒变成爷爷牌球棒，一定会被大家笑翻的，早知道就不要那么大张旗鼓地炫耀了。不过仔细一看，上面有爷爷略为歪斜却很用心写下的淳朴字迹，除了将他的名字写在上面，爷爷还刻上了"努力"两个字。

"爷爷，您为什么要在上面刻字？"睿瑜问。

"不管做什么事情，努力最重要。"爷爷开玩笑地说，"我原本想说'机会是留给准备好的人'的，但是太长了，只好刻短一点。"

"你干脆刻'成功是百分之九十九的努力加上百分之一的天才'，那不是更好听。"奶奶说。

"那我可能要做好几支球棒才够刻喔。"爷爷笑着说，对于爷爷的心意，睿瑜感受到了。

平时爱吹牛的爷爷，竟然为了他不眠不休做出一支球棒。不管丢不丢脸，他决定明天都要带这支球棒上场,至于那些想用路易斯威尔球棒打球的队员们,只好跟他们说声抱歉啦。

虽然已经下定决心了,但是要真的付诸行动还是有点困难。睿瑜带着球棒到学校去,他在球棒外面包着一块布,并不打算太快拿出来亮相。

不过细长的外型,很容易引起大家的好奇心。当睿瑜带着他的球棒到队上时,立刻有人大声说:"路易斯威尔!那该不会是路易斯威尔吧?"

所有的队员立刻围过来,争相一睹路易斯威尔的风采。

"我先跟你们说喔,这是我爷爷的路易斯威尔。"睿瑜一边说,一边掀开包着球棒的布。

众人屏息以待,要看看路易斯威尔的庐山真面目。

"这是什么啊?"立刻有人发现不对劲,大声嚷嚷。

"你该不会要说这根破破烂烂的木棍,就是路易斯威尔的球棒吧?"另一位队员说。

"竟敢骗学长,你胆子很大呀。"六年级的学长用手轻敲睿瑜的头。

"欺骗学长可是会挨揍的!"在棒球队这个环境里

面,最好不要随便惹学长生气,否则日子会很难过。

"不是啦,我真的以为我爷爷要买路易斯威尔的球棒给我,谁知道他会自己做球棒。"睿瑜赶快解释,不过似乎没人想听。

"枉费我还巴结你,排轮值表要使用这支球棒。"球队的捕手说。

正当睿瑜百口莫辩,准备乖乖接受众人围剿和指责的时候,大炮学长出现了。

"大炮,这小子说要带路易斯威尔的球棒借大家用,结果竟然是这种东西。"立刻有人向大炮学长打小报告。

大家期待身为队长的大炮,可以教训一下这个菜鸟,竟敢乱说话骗大家。

"咦,这支球棒看起来不错耶!"大炮学长露出欣赏的表情说,"借我打打看好不好?"

"可以啊……你确定吗?"要借大炮学长当然没问题,但是睿瑜怀疑自己听错了。

"这支球棒的粗细适中,挥棒出去就像在挥动自己的手臂。"大炮试挥几下之后,爱不释手地说,"这样子的球棒也许较容易打出长打呢。"

"这支球棒和路易斯威尔的 T160 有点像，握把较细，打者的挥棒速度会变快，自然容易打出长打。"钟教练将球棒拿来试打，很满意地说，"你爷爷懂不懂棒球啊？怎么能做出这种球棒。"

"我想他一定是很用心地做出这支棒吧。"睿瑜可以想象爷爷戴着老花眼镜，不厌其烦地慢慢将球棒塑型、磨光和上色的情景，一定花了他很多时间。

"你知道吗？洋基队的松井秀喜的球棒也是由美津浓师父久保田五十一手工制作的耶！"棒球小博士一分头兴奋地说。

"你真幸福，有这么厉害的爷爷。"大炮说。

"睿瑜，刚刚真对不起，等一下可以跟你借球棒来打击吗？"其他队员立刻改口，争相向睿瑜借球棒。

"没问题，只要你们不嫌弃的话。"今天真是峰回路转，他还以为自己会被大家骂到臭头呢，想不到爷爷的球棒这么好，连钟教练和队长都赞不绝口，今天回家一定要告诉爷爷，他的球棒有多么厉害。

后来的友谊赛，如钟教练所计划的，睿瑜只有上场代跑，并没有表现的机会。但是大炮学长用爷爷做的球棒，挥出一支三分全垒打，成了比赛获胜的大功臣，大家都说是因为睿瑜爷爷的路易斯威尔球棒，才能打得这么好。

这支全垒打就像睿瑜自己打出去的一样，他得意地向爷爷、奶奶炫耀，那支全垒打就像快速飞翔的老鹰，一被球棒击中就立刻飞到远远的全垒打墙外，完全不见踪迹。那一幕，深深刻印在睿瑜心中。爷爷的路易斯威尔球棒，也成了棒球队的镇队之宝。

后来睿瑜才知道，爷爷那位不说话的朋友，是一个很有名的大师，专门制作手工球棒，是爷爷求了很久，他才点头答应教爷爷制作球棒。

"所以爷爷才能做出这么棒的梦幻球棒啊！"睿瑜心里想着。

爱吹牛的爷爷总算做了一件让他佩服得五体投地的事情了。

5

王建民球员卡

　　"你知道吗？王建民昨天超厉害的，只被打了两支安打而已。"班上的同学热烈地讨论着昨天的比赛，昨天王建民先发上场，彻底发挥滚地球王子的实力，让对手大多击出无力的滚地球被刺杀出局。

　　"对啊，他太让人骄傲了。"同学用力地点点头，在棒球的最高殿堂投球，还能有如此出色的表现，真是太厉害了。

　　王建民的周边商品，包括球员卡、公仔、签名球、签名球衣等等，都因为王建民累积越来越多的胜利而价格飙涨。也因为王建民成为洋基队的主战投手，大家一瞬间都变成洋基队的球迷，连 Derek Jeter、Jason Giambi、Alex Rodriguez……这些洋基的明星球员也受到大家的喜爱。

"我最欣赏 Derek Jeter，攻守俱佳。"一分头就立志要成为像洋基队长 Derek Jeter 一样厉害的游击手，虽然有点遥不可及，好歹是个远大的目标。

除了王建民，睿瑜最欣赏的人，当然是洋基队的当家三垒手 Alex Rodriguez。

"Alex Rodriguez 一个人的年薪可以付一整个棒球队的薪水了，真是太扯了。"Alex Rodriguez 的年薪是两千两百万美元，而魔鬼鱼全队的年薪只有一千九百万美元。

但是也由于背负如此高的年薪，只要一表现不佳，就会被严格的洋基队球迷嘘声以对。

"不过我最喜欢的还是台湾之光（注：台湾棒球选手王建民，是旅美投手），王建民。"睿瑜崇拜地说，"投球稳健，用球冷静，这才是一个好投手所应具备的特质。"

睿瑜是自从加入棒球队之后，才开始关心棒球的。

他这才发现，棒球的世界真的很有趣。

看棒球不只是看攻守表现，棒球可以说是一种很讲究数据的运动，不论是打击率、防御率、胜率，甚至是精细到两人出局一在垒的保送率都可以斤斤计较。

棒球不是光靠一个人就可以赢得比赛，有好的投手，还要有优良的守备协助。再怎么厉害的投手也不可能三振每一位打者，得靠守备帮忙消化出局数，王建民就是最好的例子，他的三振率其实不高，大多是靠内野的守备让打者出局。

一个人打得再好，也只是一支阳春全垒打，得靠队友们不断上垒，强棒才有出击的必要性。就是如此奥妙，棒球才会令人着迷。

最近班上吹起一股收集球员卡的旋风，只要购买洋芋片就有机会得到王建民的球员卡。不过抽中卡片的机率不高，有人吃了十几二十包洋芋片才抽中一张球员卡，也有人才买一包就得到球员卡。

"你看，这是王建民在台北体院时的投球照片。"一分头得意地向睿瑜炫耀，这是他吃了三包洋芋片才得到的战利品。

"好羡慕喔,我吃了十包才得到一张王建民的便服照,结果再吃六包又拿到同一张球员卡,气死我了!可不可以跟你交换啊?"另一个同学凑过来对一分头说。

"才不要呢,我这一张比较帅啦。"一分头说,"你去跟小黑换啦。"

球员卡一共有三十二张,分成复古卡八张、普卡八张、烫金卡四张、凸版卡四张、镭射卡四张、手绘卡四张。其中以手绘卡和普卡的中奖机率较高,听说还有两套六十四张王建民亲笔签名的球员卡在其中。

不只是他们这群小学生为之疯狂,听说小黑在台北念大学的哥哥更加痴迷,花了两千多元买洋芋片,不过也还没收集到全部的球员卡,只得到二十三张罢了,至于重复的他就送给小黑,班上的同学都很羡慕小黑可以免费得到球员卡。

睿瑜也感受到这股王建民热,不只会讨论他在大联盟的表现,也收集他的球员卡。但是睿瑜的零用钱有限,买不了太多的洋芋片。奶奶偶尔会给他一些零用钱,让他去买点零食来吃,若是要把这些钱当成搜集球员卡的资金是绝对不够的,但是他又不好意思向奶奶开口要钱,睿瑜只好想些办法赚取零用钱,才能多买一些洋芋片。

王建民球员卡募集第一招:资源回收。

因为睿瑜放学后就要去球队练球,所以他利用下课时间到操场去捡拾宝特瓶和铁铝罐,收集成一袋后再交给奶奶,奶奶就会给他一些零用钱。虽然有点丢脸,但是为了球员卡只好豁出去了。辛苦了一个礼拜,可以买五包洋芋片,但是他一张球员卡也没有得到,学校的宝特瓶和铁铝罐也被他捡光了,睿瑜除了利用假日时往校外发展,还得再想想其他的办法赚钱了。

王建民球员卡募集第二招:帮忙跑腿。

晚餐时间一到,睿瑜就在奶奶的身旁打转。

"奶奶,要不要我去帮您买东西?"睿瑜问。

"睿瑜好乖喔,刚好我的酱油快没了,麻烦你去杂货店帮我买一下。"奶奶说。

"没问题。"真是太棒了,买酱油可以赚很多钱。因为一瓶酱油六十元,奶奶会拿一百元给他,剩下的四十元就是他的跑路费,这样他就可以买两包洋芋片了。

睿瑜去杂货店帮奶奶买酱油,也顺便买了两包洋芋片。

　　心怀期待的他，一回到家立刻打开洋芋片，哇！真是太幸运了，里面有一张凸版卡。

　　LUCKY！LUCKY！ 真是太棒了，睿瑜立刻手舞足蹈，在家里拿着球员卡大叫，凸版卡是很稀有的。不过跑腿这招不能常用，因为奶奶不会天天都需要买东西，只能偶尔为之。

　　另外一个可以下手的对象，当然就是爷爷啦。

　　"爷爷，您要不要买香烟？"睿瑜问爷爷，一包长寿四十元，爷爷给他五十元，跑腿一次可以赚十块钱，买两次香烟就能买一包洋芋片了。

　　以前长寿一包只要三十五元，他一次就可以赚十五元呢，可惜现在涨价了，一次只能赚十元。

　　"好啊，乖孙子要去帮我买吗？"爷爷笑呵呵地问。

　　"嗯。"睿瑜用力地点点头，一脸"拜托让我去吧"的表情。

　　从此买香烟就变成睿瑜的工作啦。不过洋芋片的中奖机率实在太低了，即使睿瑜如此努力地赚钱，目前也只有三张球员卡，距离一套三十二张还很远呢。

"哇，你这张凸版的很特别呀，可不可以跟你换。"一分头看到睿瑜的球员卡说，"大部分的人都是拿到普卡和手绘卡，再来是复古和烫金卡，凸版和镭射卡最难收集了。"

"不行啦，这张是我的宝贝，不然我用这张手绘卡跟你换。"凸版卡是睿瑜的第一张球员卡，也是他最喜欢的一张卡片，当然不能换。

"好吧，我用这张复古卡跟你换。"一分头拿出一张王建民在学生时代的卡片。

"成交。"收集球员卡的乐趣在此，如果你不喜欢还可以和别人交换，后悔了再想办法换回来就好了。

如果你有几张球员卡很特别，是别人没有的，那就是你的镇卡之宝，不能轻易和别人交换，但是每个人都想和你交换，这时你会感受到一股莫名的成就感。

"睿瑜，你最近好像特别喜欢吃洋芋片喔？"爷爷问，因为家里的桌子上、垃圾桶里、甚至是睿瑜的床上，到处都是洋芋片的袋子。

"我不是喜欢吃洋芋片啦，是因为洋芋片有送王建民的球员卡，所以我才拼命吃洋芋片啊，吃得我都想吐了。"睿瑜说,最近他真的吃怕洋芋片了,但是不吃完又很浪费,只好拼命往肚里塞。

"王建民,是在美国打棒球的那个王建民吗?"爷爷问,"最近常常在电视新闻里听到关于他的消息,他是投手对不对?"

"对,他的专长是伸卡球,再厉害的打者,遇到他都会打成滚地球喔。"说到王建民,睿瑜的眼中就露出闪亮的光芒,他可是所有棒球迷们的偶像喔。

"不过不是每一包洋芋片都会送球员卡,所以运气也很重要。"睿瑜皱着眉头说,害他白白吃了不少洋芋片。

"这样啊,那爷爷拿钱给你去买洋芋片,再陪你一起吃好了。"爷爷心疼孙子,立刻说要帮他。

"不用啦,爷爷。"怎么可以白白拿爷爷的钱去买洋芋片呢,这样不太好吧。

"这样我也可以少抽几包烟啊。"爷爷说。

"无功不受禄,不然我帮您捶背好了。"睿瑜想出一个两全其美的好办法,不但可以买洋芋片,又可以让爷爷少抽烟,他也不是白白拿爷爷的钱。

"好啊,我最近常常觉得腰酸背痛,还有膝盖也不太舒服。"爷爷天天扛着锄头去菜园工作，加上年纪大了，自然容易不舒服。

"爷爷，您哪里不舒服？我帮你捶啊。"睿瑜立刻帮爷爷捶背，逗得爷爷笑呵呵的。

爷爷成了睿瑜收集球员卡小组的组员，祖孙俩在一起不是吃洋芋片，就是讨论王建民在大联盟出赛的表现，感情好到连奶奶都吃醋了。

"你们又要去买洋芋片啊？"奶奶看到这祖孙俩又要出门，不用说，一定是要去买洋芋片。

"对啊。"祖孙俩异口同声地说，今天是礼拜六，早上七点才一起看完王建民的比赛，比赛一结束就要出门去买洋芋片了。

"祖孙两个都是疯子，一天到晚吃洋芋片。"奶奶念叨道，家里有一个疯子已经够了，现在竟然有两个疯子，连奶奶都快被搞疯了。

"自从爷爷陪我一起吃洋芋片之后，我们已经收集到十二张卡片了，爷爷真的运气很好啊。"睿瑜称赞爷爷的好手气，最高记录是连买三包都中奖，祖孙俩高兴得一起大叫，最近还一起发明了棒球之舞，把奶奶搞得好气又好笑。

"我们连中三包那一次，有两包是你选的，所以你的运气比较好啦。"爷爷不敢居功，不过那一次真的太幸运啦。

这是王建民球员卡募集第三招：众志成城。

集合众人的力量来达成目标，事半功倍。不过在收集十三张球员卡之后，睿瑜开始进入撞墙期，每次得到的球员卡都是重复的，连续四、五张都是如此，就算要和同学交换，大家似乎也都已经有了，很难交换，让睿瑜萌生不少挫败感。

"听说小黑的哥哥要从台北回来了，你不觉得不同地方买的洋芋片，送的球员卡也不同吗？说不定可以买到比较特别的球员卡喔，我们请小黑的哥哥帮我们买台北的洋芋片好不好？"上课时，一分头偷偷跟睿瑜说了一大堆话，这是他灵光一闪想到的好方法。

"可是买这么多洋芋片，很难从台北带回来吧。"就睿瑜印象所及，从台北到台东舟车劳顿，还要带一大堆洋芋片，他是觉得不可行啦，不过可以问问看小黑。

"小黑，可以请你哥哥从台北帮我们买洋芋片回来吗？"睿瑜和一分头利用下课时间问小黑。

"我哥现在都不买洋芋片了，他改成上网竞标球员卡，便宜的一张三十元，稀有一点的几百元，你们要不要叫我哥帮你们上网买？"小黑说。

"真是个好办法，这样就不必吃洋芋片吃到吐了。"睿瑜很喜欢这个好办法。

"对啊，每种口味我都吃腻了。"一分头吐吐舌头，虽然这个牌子的洋芋片口味众多，但是以他们吃的数量，再多口味都会腻的。

"未来几年内，我都不想再吃洋芋片了。"睿瑜叹口气，再好吃的东西照这种吃法都会受不了的。

"我也是，可是一张球员卡几百块好贵喔。"几百块对他们来说并不是一笔小数目。

"但是你说不定花几百块吃洋芋片都得不到那张卡片喔。"小黑说。

"说的也是，我好想要镭射的球员卡喔。"睿瑜赞同地点点头，花几百块买洋芋片，还要吃洋芋片吃到想吐呢。

"那你们决定好要的卡片和数量，再跟我说吧，最迟礼拜五告诉我，我哥下礼拜就要回来了。"小黑说。

要如何在这段时间内得到这么多钱呢，算一算他想要的球员卡大概要花一千元左右，但是他最近已经把钱都花在买洋芋片上面，也不好再跟爷爷伸手要钱，该怎么办呢？

以前在台北的时候，只要他开口，妈妈一给就是千元大钞，他对钱一点概念也没有。现在却为了几十块钱斤斤计较，但是能够从爷爷、奶奶手中得到几十块，比以前从妈妈手中拿到千元大钞更令人开心，这应该是因为他有努力付出的关系吧。

睿瑜利用下课时间，一边搜寻可回收的资源垃圾，一边思考着如何赚钱。突然，他看到学校侧门旁有个黑色的东西，好像是钱包耶。睿瑜赶紧奔跑向前，将那个东西捡起来，真的是一个皮包。不知道是哪个粗心鬼把它掉在这里。睿瑜打开皮包一看，哇，里面有三千多元耶，这可不是一笔小数目。要是把这些钱全部拿来买球员卡，应该可以搜集到一整套了吧。不行，丢掉钱包的人一定心急如焚，要赶快归还失主才对。可是，是那个人自己粗心大意把钱包丢在这里，让他捡到说不定是天意。

睿瑜心中的小天使和小恶魔在交战着，他真的快烦死了。不过……睿瑜还没想好该怎么办时，上课钟声响了。他只好先将皮包收起来，等一下再做处理了。

这一堂是数学课，睿瑜完全没办法集中心神，一直想着皮包里的三千元。

直到数学老师点他起来做题目仍浑然无所觉，一分头偷偷打他一下。

"女魔王在叫你，快点上去。"女魔王是数学老师的外号，要是被她点到却不会做题目，就必死无疑。

睿瑜赶紧上台去，战战兢兢解出答案。

"下次上课不要发呆。"即使解出答案，女魔王还是丝毫不留情。

睿瑜低着头回到座位，幸好下课钟声也在此时响起。睿瑜捏着口袋里的皮包，几经思索，他还是决定物归原主。就算拿这些钱买到全部的球员卡也不会快乐，应该要靠自己的能力。

睿瑜走到训导处，决定把钱包交给训导处的老师处理。

"报告老师，我在学校的操场侧门旁捡到这个钱包。"睿瑜将钱包交给老师。

"很好,现在拾金不昧的孩子已经很少见了。"管生活的老师赞许地说,"尤其是年龄越大的孩子越难做到。"

"这是我应该做的。"睿瑜心里想,"我可是想了很久才做下这个决定的。"

"我会帮你找到失主的。"老师将皮包收下说,"你是哪一班的学生?"

"四年三班,我叫唐睿瑜。"睿瑜回答。

"学校会在朝会的时候表扬你。"生活老师打开皮包一看说,"哇,里面的钱不少啊。"

"老师,不用表扬我了。"睿瑜想到自己上台的样子,虽然很光荣,但是他会不好意思。

"那至少让我告诉失主是你捡到他的钱包。"生活老师说。

"好吧。"睿瑜点点头,接受生活老师的安排。

虽然没有办法买到王建民的球员卡,但是他的心里却很满足,觉得自己做了一件正确的事情。

"睿瑜,女魔王叫你去找她。"午休时间过后,睿瑜拿出直笛练习,班上同学告诉他女魔王要找他。

"你惨了，一定是因为你今天上课在发呆，她要找你麻烦。"班上同学对睿瑜说，惹到女魔王可不是好玩的事情。

"真倒霉。"睿瑜只好起身去办公室找女魔王。

"报告，我是四年三班的唐睿瑜。"睿瑜紧张地看着女魔王，不知道自己做错了什么事情。

"你就是捡到我钱包的人？"女魔王惊讶地说，"我真是太高兴了，竟然是我自己的学生。"

什么？那个钱包的粗心笨主人就是女魔王！不会吧！

"那个钱包是老师的？早知道上数学课的时候就直接交给你了。"睿瑜说。

"所以上课时，你是为了这件事情分神啰？"女魔王问。

"是。"睿瑜很不好意思地承认，那时候他还想要据为己有呢。

"我觉得你做得很好，所以我要奖励你。"女魔王露出难得一见的笑容说，"这些钱是感谢你拾金不昧。"女魔王拿出一张五百元的钞票要给睿瑜。

"老师，这些钱我不能收。"对老师的一番好意，睿瑜赶紧推辞。

"没关系，如果你不还我钱包，那么我连一毛钱都拿不到呢。"女魔王温柔地笑着说，"请你收下。"

"你就收下嘛。"生活老师也在一旁说。

睿瑜盛情难却，只好收下女魔王的五百元。回到教室里，每个人都争着问他，女魔王为什么要找他。睿瑜笑而不答，不知道该如何解释。

"听说你们班有人拾金不昧，唐睿瑜坐在哪里？"音乐老师一上课就立刻问大家，全班的目光一致看向睿瑜。

睿瑜只好很不好意思地举手，他不想说还是被大嘴巴的老师抖出来了。

"他捡到张老师的皮包物归原主喔。"音乐老师看全班一头雾水的样子，解释给大家听。

"张老师是女魔王吗？"同学们在台下窃窃私语，一下课，睿瑜马上变成大红人。

大家全围在睿瑜身边，七嘴八舌地问他。

"你捡到女魔王的钱包喔？"

"你在哪里捡到钱包的？"

"女魔王跟你说什么？"

"你干吗不自己把钱花掉就好了？"

面对大家的逼问，睿瑜一一回答。回到家里，睿瑜总算松了一口气，连球队的人都知道这件事情，害他又得解释一次。

不过回到家里，他又忍不住向爷爷、奶奶炫耀。

"真不愧是我的孙子，拾金不昧。"爷爷嘴巴笑得都快裂开了，好像钱是他捡到的一样。

"其实我原本想把钱拿去买洋芋片的，后来又觉得用别人的钱得到球员卡也不会高兴。"睿瑜老老实实地说出自己最初的想法。

"但你最后还是物归原主了，你做得很好。"奶奶点点头，赞许睿瑜的行为。

"等你以后变成总统，就会把这段故事编在小学的教科书里面，就像蒋公小时候看到小鱼逆流而上的故事一样。"爷爷很开心地说，"还有华盛顿砍倒樱桃树。"

"我又没有要当总统，我以后要当棒球选手。"睿瑜眼中闪耀着光芒说，"像王建民或者是陈镛基那样。"

"当棒球选手也不错，还可以把你的照片放在洋芋片里面送大家。"爷爷点点头，觉得这是个好主意。

"还有，华盛顿砍倒樱桃树这件事是假的。"睿瑜冷冷地说。

"什么？是假的，我不相信。"睿瑜一语惊醒梦中人，让爷爷吓了一大跳。

"那是一个牧师杜撰的，只是为了宣扬华盛顿的美德，树立美国人的典范。"睿瑜曾在报纸上看过这件事情的报道。

"我竟然被骗了几十年，身为牧师怎么可以说谎呢？"爷爷很不高兴自己被骗了。

"那我再跟您说一件更令您难过的事情，要听吗？"睿瑜问爷爷。

"好吧，说吧。"爷爷说。

"蒋公小时候看到小鱼逆流而上的故事……"睿瑜停顿了一下。

"你要告诉我这也是假的！"爷爷大叫。

"对啊，他们家附近的小鱼根本不会逆流而上。"睿瑜点点头，爷爷真是聪明人，一点就通。

"那到底什么是真的？"爷爷垂头丧气地问，他开始要对这个世界产生怀疑了。

"洋芋片里面有王建民的卡片是真的，所以我们还是多吃一点洋芋片吧。"睿瑜为这件事情做下结论，那就是历史故事就把它当成神话故事，听听就算了，还不如洋芋片多吃一点比较实在。

"走吧，我们去买洋芋片。"看爷爷无精打采的样子，似乎受到很大的打击，睿瑜有点后悔一次告诉爷爷太多真相了。真相，总是沉重，而令人难以接受的。

无论如何，能够平白得到五百元还是很高兴，这样他就可以买两张他最想要的球员卡了。

这应该算是王建民球员卡募集第四招：拾金不昧。

不过令人苦恼的是，他最想要的卡片有三款，可是他的钱只够选择其中两张。

为了这件事情，睿瑜又开始心神不宁，连球队练球的时候都在发呆。

"唐睿瑜，你再发呆就下场去。"钟教练对着睿瑜大骂，连最基本的接传球都做不好，到底在搞什么。

"对不起。"睿瑜赶紧集中精神练球，不敢再发呆。

球队练习结束之后，天色也渐渐暗了。大家收拾好东西，准备回家吃晚餐。

"咦，不见了。"睿瑜翻遍自己的口袋和书包，就是找不到。

"怎么了，什么东西不见了？"一分头看到睿瑜焦急的模样，上前问他。

"女魔王给我的五百元不见了。"睿瑜怎么找也找不到。

"怎么会不见？我帮你找。"一分头开始低头寻找附近的草地。

"可是天快黑了，应该找不到了。"睿瑜失望地说，一切都是一场梦。

"不然我们明天早一点来练球，顺便找钱。"一分头说。

"好吧。"也只能这么做了。

睿瑜垂头丧气地回到家里，不发一语地默默吃着晚餐。

"怎么啦？好像心情不太好喔。"奶奶看到睿瑜没夹什么菜，食欲不太好的样子。

"是不是在学校发生什么事情？"爷爷问。

"不是啦。"睿瑜将事情发生的经过，说给爷爷奶奶听。

"没关系，爷爷再给你五百元就好了。"爷爷说。

"不用了，反正本来就不是属于我的钱。"睿瑜不想要拿爷爷、奶奶的钱，意义完全不同。

隔天，睿瑜一大早就到学校去找钱。一分头也跟着帮忙找，不过早起的结果还是徒劳无功。睿瑜拿不出钱给小黑，请他哥哥帮忙买王建民的球员卡。只能羡慕地看着别人拿着稀有的凸版卡和镭射卡炫耀，原本他也可以拥有其中几张的，可惜他把钱搞丢了。

唉，只能怪自己。睿瑜这几天都闷闷不乐的，毕竟这五百元对他来说意义非凡。代表的是拾金不昧的纪念，也代表王建民的限量球员卡。回到家中，睿瑜也变得沉默许多。

"爷爷今天又去杂货店买了两包洋芋片，我们来看看有没有王建民的卡片。"爷爷兴致勃勃地找睿瑜一起打开洋芋片的包装袋。

"好啊。"睿瑜抱着一丝丝希望，说不定会让他得到镭射卡。

不过天不遂人愿，两包洋芋片里面都没有附球员卡，这下睿瑜更加失望了。

"没关系，今天杂货店老板把这个送给我。"爷爷手上拿着一卷白色的纸卷，递给睿瑜说，"送给你。"

"这是什么？"睿瑜一边问一边打开纸卷，心中不抱任何期待，有什么东西比得上王建民的球员卡呢？

当他缓缓打开后，吓了一大跳。竟然是王建民的大型海报。

"天啊！怎么会有这个？"睿瑜又惊又喜，是王建民的海报啊。

"我跟老板要的，老板想说我们天天都去买洋芋片，所以把这个送给我，你喜不喜欢？"爷爷问，这张海报是洋芋片公司给杂货店老板张贴广告用的。

"当然喜欢。"这比得到王建民的镭射卡加凸版卡更棒，是王建民的海报啊！而且海报上面有三十二张球员卡的图样，虽然旁边还有洋芋片的广告商标，但是没有关系，他爱死了，爷爷真是天才。

王建民球员卡募集终极招数：跟杂货店老板要海报。

6

不遵守约定的人要吞下一千根针

　　"睿瑜，你喜欢哪一只？"睿瑜和奶奶站在鸡舍外面，准备捉一只又肥又大的鸡来吃。

　　"那只好了，看起来胖嘟嘟的。"睿瑜指着一只正在啄着地上蚯蚓的大公鸡，奶奶和睿瑜合力捉住这只大公鸡，准备开始杀鸡。

　　首先要拿菜刀切开公鸡的喉咙，将鸡血滴在碗中，凝固之后就是美味的鸡血了，奶奶会洒上一些米，增添鸡血的美味。接着用热水烫过之后，将身上的鸡毛拔掉，清理鸡肚里的内脏，剁鸡，这样就大功告成了。鸡的全身都可以好好利用，除了内脏可以食用，鸡屁股还可以拿来炸油，一点儿都不会浪费。

睿瑜拿夹子帮奶奶把细小的鸡毛拔除干净，接下来就是看奶奶大显神威了。不论是煮香菇鸡、炒鸡酒、三杯鸡，样样都难不倒奶奶。

半年之前，睿瑜还是个天天补习、打电动的城市孩子，没想到半年后的自己，会坐在这里帮奶奶拔鸡毛，天天打棒球，过着开心的日子。

"爷爷，你吃这块鸡肉，这个鸡毛是我拔的。"睿瑜将鸡肉夹到爷爷的碗内，推销自己和奶奶亲手杀的鸡肉。

"难怪我觉得今天的鸡肉特别好吃，原来是睿瑜帮忙杀的啊。"爷爷笑呵呵地将鸡肉大口吃下，嘴角也露出满足的微笑。

吃完晚餐之后，睿瑜帮爷爷捶背。

"爷爷，我星期天要上场比赛，你们一定要来帮我加油喔。"因为是第一次先发上场比赛，他特别交代爷爷奶奶一定要到现场来帮他加油。

"当然没有问题，我和奶奶都会去。"爷爷在日历上把这件事情写下来，生怕自己忘记了。

"这是我第一次上场比赛，有点紧张呢。"睿瑜在赛前已经开始感到不安了。

"来,爷爷跟你说。"爷爷将睿瑜拉到一边说,"你现在把拳头握紧。"

"喔。"睿瑜乖乖照做,却不知道爷爷想做什么。

"你的拳头里面有多少空间呢?"爷爷问。

"几乎没有。"睿瑜将拳头握得很紧,一点空间都不留。

"你现在把手放松、打开。"

"好。"睿瑜又乖乖照做,他还是不知道爷爷要做什么。

"你现在把手打开,握住的是全宇宙。"爷爷说,"所以你只要放松心情就好了。"

想不到头脑简单的爷爷,也会说出这么有哲理的话,真是不简单。

"好啦,来吃爷爷种的圣母玛丽亚小番茄吧。"爷爷推销着自己种出来的小番茄。

"爷爷,是圣女小番茄啦。"真不知道像圣母玛丽亚小番茄这么绕口的话,爷爷是怎么想出来的。

"什么,不是圣母玛丽亚小番茄吗?"爷爷搔搔头。

"不是，我很确定。"睿瑜摇摇头，真是拿爷爷没有办法。

"最近觉得膝盖有点酸痛，不晓得怎么了。"吃完小番茄之后，爷爷一边捏着自己的膝盖一边对奶奶说。

"叫你去给医生检查不听，我看明天去大医院一趟比较保险。"奶奶会如此劝爷爷，是因为爷爷很讨厌看医生，如果感冒了，就随便喝罐感冒药水解决。除非严重到自己都受不了了，才会被奶奶强押去看医生，不过去看医生的次数实在寥寥可数。

"不用啦，一点小酸痛而已。"要让爷爷去看医生实在很难。

"如果不是很痛，你会说出来吗，我看你最近常常在摸膝盖，应该不是一点小酸痛吧。"和爷爷相处几十年了，奶奶老早摸透他的习性了。

"爷爷，真的不舒服就要乖乖去看医生。"睿瑜也加入劝说的行列。

"不用担心，爷爷身体好得很。"爷爷完全把他们的话当成耳边风，自顾自地抽起烟来。

奶奶不停在爷爷耳朵旁边唠叨，爷爷则是眯着眼晴假装没听到，睿瑜看着这一幕，觉得实在太好笑了。睿瑜突然有一种很幸福的感觉，他有爷爷奶奶的疼爱，还能打自己喜爱的棒球，每天过着无忧无虑的乡间生活。

虽然偶尔还是会想起远在大陆工作的爸爸妈妈，但是睿瑜告诉自己，只要再过一阵子，就可以和爸爸、妈妈团聚了。每当思念之情涌现心头的时候，睿瑜就会借着棒球和爷爷、奶奶来填补心中的空虚，努力让自己过着开心的口了。

今天要和成功小学进行友谊赛，睿瑜如愿首发，担任三垒手的位置。比赛进行到三局下半，睿瑜站上打击区，目前比数一比零，二三垒有人，两人出局。睿瑜只要击出安打，就可以帮球队追平甚至超前，但是爷爷、奶奶还没来到现场，这可是他第一次先发上场打击呢。

第一球，是一个正中直球，睿瑜等了一下，没有出棒。

"一好球。"主审举起右手。

睿瑜深呼吸，告诉自己要冷静，要仔细选球。

第二球，是一个高速内角球，睿瑜挥了一个大空棒。

"两好球。"主审二度举起右手，已经没有后路可退了。

睿瑜举起球棒，仔细看着投手的动作。应该是好球吧！出手吧！睿瑜奋力一挥，没想到球却往下掉，没有打到球。

"三振。"主审大喊，三人出局结束了这一局。

睿瑜失望地走回休息室，向学长们道歉。

"对不起，是我挥棒太急了。"

"下一次要仔细看球，你挥的有两球是坏球。"大炮对睿瑜说，"不必太在意，被三振是常有的事。"

"好了，准备上场守备了。"钟教练拍拍手，催促大家上场。

在这一局，睿瑜发挥他的守备技巧，接住原本有可能形成安打的球。

"做得很好，nice play。"钟教练拍拍他的肩膀，让睿瑜对自己的守备更加有信心了。

可惜爷爷、奶奶没看到他精彩的表现，睿瑜感到有点惋惜。

到了第七局，比数仍然是一比零。此时又有得分机会，轮到睿瑜上场打击，睿瑜告诉自己这一次一定要好好表现，但是钟教练却叫住睿瑜。

"唐睿瑜，你不用上场了。"钟教练的话，犹如冷水浇在睿瑜头上。

"为什么？"睿瑜不解地问，是因为他上一次的打击表现不佳吗。

"你爷爷现在在医院里面，我请朋友开车载你去，你赶快去。"钟教练不是不让睿瑜上场，而是情况紧急。

"我爷爷怎么了？"睿瑜完全怔住，不知道该如何是好。

"听说是跌倒撞破头，没有什么大碍，你不要担心。"钟教练安抚睿瑜。

"谢谢钟教练。"睿瑜急忙坐上钟教练朋友的车，一路上不停祈祷，希望爷爷安然无事。

"爷爷，你有没有怎么样？"睿瑜一进入医院，也顾不得规矩，急忙奔跑到爷爷面前。

"爷爷只是不小心撞到头，没有什么事啦。"爷爷头上包着纱布，对睿瑜苦笑着。

"明明膝盖不舒服，还要去菜园工作。"奶奶皱着眉头说，原本早上他们打算直接去看睿瑜的比赛，爷爷却说要先去菜园巡视一下。

"有什么好巡的,菜又不会跑掉。"奶奶忍不住一直念叨。

"对啊,爷爷,你很不乖。"睿瑜赞同奶奶的话,看到爷爷没有大碍,他悬着的一颗心总算可以放下来了。

复诊时,睿瑜也陪着爷爷、奶奶一起去。

"你们是王光辉先生的家属吗？"穿着白袍的医生问。

"是的,他是我的爷爷。"睿瑜抢着回答。

"请问有什么事情吗？"奶奶问。

"他的膝盖有退化性关节炎的迹象。"医生说。

"什么是退化性关节炎？"爷爷问。

"所谓退化性关节炎,是指关节软骨随着年龄增加而逐渐老化,原来光滑的软骨逐渐粗糙、磨损,形成了屑片脱落。掉落的屑片刺激液膜,产生发炎、疼痛的现象。就如一部年久失修的老爷车,烤漆因腐蚀而脱落的道理一样。"医生耐心地解释。

"很严重吗？需不需要开刀？"奶奶担心地问。

"以王先生目前的状况并不需要开刀,但是再不注意的话就会更加严重了。早期退化性关节炎并不容易被察觉,往往只有一阵子的关节酸痛,多休息可减缓症状。但持续下去,就会形成一种慢性病,在关节疼痛部位,经常可以听到关节摩擦的声音,以及触摸得到不平滑的感觉。"医生详细说明退化性关节炎的症状。

"难怪我常常会觉得膝盖酸痛。"爷爷恍然大悟地说。

"是的,病人为维持站姿平衡及减轻膝盖的压力,久而久之,形成老人的O型腿。如果病人放任退化性关节炎恶化,将使关节四周增生及关节囊肥厚,关节变大,但还不至于完全僵直。最严重的症状将导致关节无法自由活动,只能以轮椅代步。"医生说明退化性关节炎恶化的严重性。

"那我应该怎么做?"爷爷担心地问。

"轻度的退化性关节炎可以吃药、休息、物理治疗、关节镜清洗或通过高陉骨切开矫正等简单的手术治疗。少数病人因关节磨损部位太大,严重腐蚀关节,无法继续支撑体重,则需考虑装置人工关节。至于王先生是属于前者,目前只要适度休息、加上吃药和定时做物理治疗，应该就没有问题了。"医生说，"不必过于担心，有半数的老年人都有退化性关节炎的困扰。"

"那我还可以种菜吗？"爷爷担心自己不能再种菜了。

"没有问题，只要不要长时间站立太久，日常生活是不会有影响的。"医生的话让爷爷放心许多，不能种菜会让他很困扰。

"每次跟你说膝盖不舒服要去看医生你都不听，还好这次发现得早，不然你连菜都不用种了。"奶奶说，爷爷因为头部受伤，而及早发现自己有退化性关节炎，也算是因祸得福。

到了晚上，睿瑜仔细地叮咛爷爷：

"医生说要有适度的运动，这样子关节里的软骨才能获得润滑和营养。所以我们每天都要做运动，知道吗？"睿瑜认真的样子，让爷爷也不得不认真起来。

"知道了，还有呢？"爷爷问。

"还要控制体重，减轻关节的负担。"睿瑜上下打量爷爷说，"不过爷爷身材很标准，不用减肥啦。"

"像爷爷这种年纪，身材还能保持这样的，很难得。"

爷爷自豪地说,上了年纪的老人家,没有啤酒肚真是一件不简单的事情。

"还有,要注意关节的保暖,给予关节适度的休息。所以从今天开始,要规定爷爷去菜园工作的时间,不能过长。"睿瑜已经帮爷爷规划好工作时间表,连几点休息、几点运动都写得一清二楚。

"怎么这么麻烦。"爷爷一脸想赖皮的样子。

"我会请奶奶帮我好好监督,看您有没有遵守上面的作息。"睿瑜十分严格,丝毫不让步。

"还有一点很重要,你要戒烟。"睿瑜很严肃地说。

"这一点我真的做不到啦。"不能抽烟,简直是要爷爷的命,这点他万万不同意。

"如果你不好好遵守,退化性关节炎一旦恶化。你不但不能去菜园种菜,可能还要开刀装人工关节,你想要这样子吗?"睿瑜问。

"当然不想啦,我还想再继续种菜。"爷爷迫于无奈,只好乖乖遵守。

"最后一点。"睿瑜说。

"还有喔,到底有几点?"爷爷快受不了了。

"每天都要让孙子帮你按摩之后,才可以去睡觉。"睿瑜说。

"这一点绝对没有问题。"爷爷终于笑了。

"睿瑜,你妈妈打电话来了。"奶奶呼唤着睿瑜,他马上三步并作两步地跑向电话。

"妈妈,我跟你说喔。爷爷他最近跌倒受伤,医生还说他有退化性关节炎。"睿瑜马上告诉妈妈这个大消息。

"我知道了,刚刚奶奶跟我说了。"刚刚奶奶接电话时,已经将爷爷受伤以及退化性关节炎的事情一五一十地告诉妈妈了。

当下,爸爸、妈妈马上决定要回台湾一趟。

"妈妈和爸爸最近会去台东找你们,高不高兴啊?"

"万岁!您是说真的吗?"这个决定让睿瑜雀跃不已,已经半年没看到爸爸妈妈了,平时也只能用电话联络,完全没想过爸妈会来台东。

"是真的,反正也很久没有看到你了,爸爸也很想你呢。"妈妈说,"工厂的事情我们会尽快处理,然后就赶回台湾。"

"那我等你们回来，要快一点喔。"睿瑜对爸爸、妈妈的思念之情突然爆发，之前一直告诉自己要耐心等待，没想到爸爸、妈妈竟然真的要来台东。

隔天到了学校，睿瑜立刻迫不及待地告诉一分头这个好消息。

"我爸爸、妈妈要从大陆回来了。"

"真的吗？恭喜你啦。"平时睿瑜很少谈到他的父母，只知道他们在大陆工作，所以将睿瑜留在奶奶家寄住，不过今天的睿瑜和往常不同，滔滔不绝说着爸爸、妈妈的事情。

"上一次的比赛输了真可惜，这次我希望可以让爸爸妈妈看到我上场比赛的样子。"上次睿瑜中途离场的那一场比赛，最后的结果输了，这让他更想要好好表现。

到了球队练球时间，睿瑜比平时更加努力练习打击，上次被三振的阴影一直留在他的心中，连钟教练都察觉到睿瑜的努力。

"最近特别拼呀，受到了什么刺激啊？"钟教练好奇地问。

"因为我爸爸、妈妈要从大陆回来，说不定可以看我上场打击，我当然要好好练习。"睿瑜挥汗练习也不嫌累，只想打出好成绩。

"好，如果你的爸爸妈妈来看你比赛，我一定让你首发上场。"钟教练一口承诺。

"谢谢钟教练。"冲着钟教练这句话，让睿瑜更加认真练习。

球队练习结束后回到家里，睿瑜马上当起柯南，寻找家中有没有掉落的烟蒂，检查爷爷有没有偷偷抽烟。

"爷爷，你很不乖喔。"睿瑜脸生气地说，手上拿着抽过的烟蒂。

"不能抽烟真的很难受。"爷爷简直快疯了，睿瑜怎么比警察还严格啊。

"香烟交出来，我要没收。"睿瑜把爷爷的香烟拿走，全部丢到水沟里面。

"我今天特地去图书馆查询香烟的坏处，您知道吗？在美国，抽烟是导致许多可预防疾病的头号杀手。每年被它所害死的美国人数目超过因酒精、咖啡因、海洛因、谋杀、空难、车祸和艾滋病而死亡的人数的总和，每年大约是四十万人左右。而且抽烟会导致许多种癌症,肺癌只是其中一种。抽烟也是导致心脏疾病、中风以及许多其他健康问题的主因。"睿瑜拿出笔记本念给爷爷听。

"这些我都知道,但是知易行难嘛。"爷爷说,"我是几十年的老烟枪了,怎么有办法说不抽就不抽呢?"

"好吧,不然我们慢慢递减好不好?"睿瑜心软了。

"现在是一天一包,下礼拜开始是两天一包,慢慢减少抽的量。"睿瑜看到爷爷苦恼的样子,也不忍心再强迫他了。

"我的乖孙子,你说了算。"爷爷就像从无期徒刑变成缓刑一样,开心得不得了。

晚餐时,睿瑜开心地跟爷爷奶奶说:"钟教练说如果下一场比赛爸爸、妈妈会来看,就要让我首发上场喔。"

"下一次比赛,我和奶奶也要去帮睿瑜加油。"因为上一场比赛,爷爷刚好受伤进了医院,没办法帮睿瑜加油。

"对啊,我要教爸爸妈妈喊'安打安打全垒打'。"睿瑜开心地说。

"爷爷、奶奶比较笨,你要先教我们啦。"爷爷说,

"是不是'安打全垒打'？"

"是'安打安打全垒打'啦。"

"我会好好练习的。"爷爷努力在心中默念，担心自己忘记了。

这时电话铃声响起来。

"一定是妈妈打来的，我去接。"睿瑜自告奋勇要去接电话，这一定是妈妈打来告诉他们何时可以回来的电话。

"喂，妈妈，你什么时候要来啊？"果然是妈妈。睿瑜开始滔滔不绝地说，"我跟你说喔，你和爸爸这次过来可以看到我上场打球喔。我们钟教练说……"

"睿瑜，不好意思喔，因为工厂这里忙不过来，我们暂时没有办法回去。"睿瑜的话还没说完，就被妈妈打断，妈妈在电话的另一端充满歉意地说。

"你们……不回来了。"睿瑜不知道该说些什么，又被爸爸、妈妈骗了，原本满怀希望却又落空。

"实在挪不出时间，对不起喔。妈妈其实很想回来，但是真的没有办法，工厂还有许多事情需要处理。"

"算了。"睿瑜难掩失望的语气。

"帮我请奶奶听电话。"妈妈另外有事要跟奶奶说，睿瑜将话筒交给奶奶。

奶奶和妈妈说了几句之后就挂上电话，她走回饭桌继续吃饭。睿瑜沉默不语地低头扒着饭，刚刚欢乐的气氛突然消失了。

"小美他们不回来了，不过她有买维骨力要给你吃。"奶奶说，"她说那是专门治退化性关节炎的药。"

"喔，没时间回来也没有办法。"爷爷惋惜地说，"这样他们就看不到睿瑜上场比赛了。"

"没关系，爷爷奶奶还是会去现场帮你加油的。"奶奶看到睿瑜失望的模样，赶紧安慰他。

"我无所谓，反正我已经习惯了。"睿瑜好久没有这种感觉了，好像又回到从前的自己。

睿瑜躺在床上，翻来覆去无法入眠。连爷爷的头受伤，爸爸妈妈都不回来。那要是他做点坏事，爸爸、妈妈还是会不管吗？他决定要测试爸爸、妈妈一下，到底是他们的事业重要，还是家人重要。

隔天，已经到了上学时间，睿瑜却迟迟不肯起床。

"睿瑜，你再不起床就会迟到了。"奶奶来叫他起床，平时睿瑜都很准时起床，从来不曾睡过头，今天是怎么一回事。

"奶奶，我的身体不太舒服。"睿瑜故作虚弱地说。

"哪里不舒服？要不要去看医生？"奶奶立刻紧张起来，摸着睿瑜的额头说，"奇怪，不烫啊。"

"因为我是肚子痛。"睿瑜立刻摸着肚子喊痛。

"那我们去看医生好不好？"

"不用了，只要在家好好休息就没事了。"要是去看医生不就被拆穿了吗？绝对不行！

"那今天就请假一天吧。"奶奶说完之后，睿瑜偷偷在心中大喊万岁，奶奶真是好骗。

"你要帮我打电话跟老师说下啊。"睿瑜提醒奶奶。

睿瑜不想去上课，但还是很想要打棒球。而且整天躺在床上真的很无聊，到了下午，睿瑜就偷偷跑去学校练球。隔天早上再继续装病，如此持续了一个礼拜，连奶奶都起疑心了。

"睿瑜，你怎么一到早上就肚子痛，下午就可以活蹦乱跳地打棒球？"奶奶忍不住问睿瑜。

"因为我不想上学啊，如果你觉得我不乖，可以跟妈妈说。"睿瑜直截了当地告诉奶奶,他就是不想上学,如果妈妈知道了,一定会很担心的。

"喔,那等到你想上学的时候再去吧,不用装病了。"奶奶轻描淡写地说道,好像只是小事一桩,让睿瑜感到很挫折。

睿瑜只好再动动脑筋,想些会让奶奶气得跺脚的事情。啊!去玩水。前一阵子,常常传出有小孩玩水溺毙的新闻。要是去做这么危险的事情,一定会被骂。

隔天,睿瑜乖乖上学。不过他约一分头放学后一起去玩水,一分头很爽快地答应了。睿瑜故意玩到很晚才回家,头发还湿湿的,一眼就看得出来刚刚去玩过水。

"你今天去哪里玩啊?"奶奶问。

"我和智胜去溪边玩水了。"睿瑜说。

"玩水很危险,以后不要去了。"奶奶说完就去煮晚餐了,也没有骂他。

隔天,睿瑜从学校练完球之后,先去学校的洗手台把头发弄湿,再回到家里。

"你的头发怎么湿湿的?"奶奶问。

"我刚刚又和智胜去玩水了。"睿瑜的头发还有水珠不停地滴下来，看起来真的很像刚玩过水的样子。

奶奶一句话也没有说，她用自己的指甲抓了抓睿瑜的手脚。

"你没有去玩水，如果刚玩过水，身体一抓就会出现白白的抓痕。"这是老人家的智慧，睿瑜想都没想到会被拆穿。

奶奶仍然没有生气，这让睿瑜感到很泄气。要惹奶奶生气还真难，看来他得使出终极绝招了。睿瑜到火车站附近捡拾石头，再跑到附近打破一户人家的玻璃。这样够坏了吧！连他自己都觉得自己真的很讨厌，他才不相信奶奶不会大动肝火。

家里玻璃被打破的住户抓住睿瑜，气呼呼地要带睿瑜去警察局。

"要去警察局？"做了坏事的睿瑜吓到了，他没想过自己会进警察局。

当奶奶赶到警察局时，睿瑜忍不住放声大哭。

"奶奶，我做错事情了。"睿瑜赶紧认错，他不想继续待在警察局里了。

"对不起、对不起。"奶奶一到现场，先向遭殃的住户道歉，并且承诺赔偿全部的损失。

警察念在睿瑜只是个小孩子，奶奶又已经和住户达成协议的份上，就让睿瑜和奶奶回家了。走在回家的路上，睿瑜哭红了双眼，完全不敢抬头看奶奶。他做了坏事，还要让奶奶向大家鞠躬道歉，他真是悔不当初，早知道就不要这样做，还让奶奶赔这么多钱。

回到家里，睿瑜也只是默默地掉着眼泪。

"为什么故意假装自己很不乖？"奶奶毕竟是养过小孩的，睿瑜的一点小把戏，马上被奶奶看穿了。从之前的装病不上课，到玩水事件，和这次随便打破别人家的玻璃，奶奶都看在眼里。

"因为我很想妈妈，如果我不乖，爸爸妈妈就会回来骂我。"在睿瑜小小的心灵里，想法很单纯，只要能让他看到妈妈，做什么事情都可以。

睿瑜斗大的泪珠，一颗颗从稚嫩的脸庞上滑落，只是想见到父母这个小小的心愿，看似简单却是那么困难。

"我的笨孙子，怎么这么傻。"奶奶慈爱地摸着睿瑜的头，温柔地说，"如果你希望爸爸、妈妈回来看你，就要让他们高高兴兴地回来。像你这样不肯上学又不听话，会让妈妈伤心的。"

"那我应该怎么办？"睿瑜擦掉脸上的泪水，抬头问奶奶。

"你要做一些让爸爸、妈妈高兴的事情。"奶奶说，"你要让爸爸、妈妈以你为荣。"

"可是我什么都不会。"睿瑜丧气地说。

"你不是很会打棒球吗？等你打出好成绩，爸爸、妈妈一定会回来看你比赛、为你加油的。"奶奶的话，让睿瑜的精神为之一振。

"我只要认真打棒球就好了吗？"要睿瑜认真打棒球，这实在太简单了，因为他本来就很喜爱棒球。

"没错，我会帮你跟妈妈说，要她回来看你比赛。"奶奶说。

"那可不可以不要跟妈妈说我之前不上学又不听话，还进了警察局的事情？"睿瑜懊悔自己莽撞的举动，希望不要让妈妈知道。

"当然，这是我们两个的小秘密，但是你要答应我要认真打球，不让爸爸、妈妈担心。"奶奶向睿瑜保证，也立下约定。

"没问题，我会认真打球，但是这件事情连爷爷也不能说吗？"睿瑜问。

"我才不让他知道呢。"奶奶说。

"我们来打勾勾。"奶奶和睿瑜打勾勾，还盖上印章。

"不遵守约定的人要吞下一千根针。"睿瑜大声地说。

打完勾勾之后，爷爷正好从外面回来。

"你们在做什么啊？"爷爷看到两人神神秘秘的样子，忍不住发问。

"这是秘密。"睿瑜抱着奶奶说。

"没错，这是秘密，我要去煮菜了。"奶奶转身走向厨房，完全不理会一头雾水的爷爷。

"乖孙子，跟爷爷说嘛。"爷爷转向睿瑜拜托。

"不行，我才不想吞下一千根针呢。"睿瑜也转身离开，留下完全搞不清楚状况的爷爷。

"为什么要吞针？"爷爷想破头也想不出来为什么要吞针。

到了星期天，睿瑜学校的球队又要和成功小学进行友谊赛了。虽然睿瑜的爸爸妈妈不能到现场加油，钟教练还是安排让他先发上场,爷爷、奶奶也到现场为睿瑜加油,还煮了一大桶又冰又凉的冬瓜茶请大家喝。

到了三局下半,第八棒的睿瑜站上打击区,自从和奶奶打勾勾之后,睿瑜更加努力练习打击,希望能在比赛中有杰出的表现。

第一球,投手投出一个偏低的坏球,睿瑜忍住没有出棒。

因为上一次的比赛,他是输在不会选球,所以这次他决定要仔细选球再出棒,看到不是好球就不要出棒。

第二球,投手的变化球掉进好球带,睿瑜又没有出棒。

"一好球。"主审举起右手。

睿瑜先退到一旁试挥几下,再回到打击区。

第三球,投捕认为睿瑜还在等球,所以配了一个好球,睿瑜出棒,但是击球点不佳,打成界外球。

目前两好球一坏球,再来一个好球就会被三振,睿瑜才不想重蹈上次被三振的覆辙。

"安打安打全垒打、安打安打全垒打、唐睿瑜全垒打。"此时场边突然传来加油声,睿瑜不用抬头看也知道,那是爷爷奶奶在帮他加油打气。

听到爷爷、奶奶声嘶力竭地为他加油,睿瑜决定不放过每一球,和投手好好缠斗下去,看到差不多的球就出手打成界外球,和投手缠斗了十几球,终于拼到四坏球保送,也耗费了对方投手不少体力。

下一位打者未能建功,打了一个滚地球被刺杀出局,虽然这一局未能得分,睿瑜回到休息室,却被钟教练称赞。

"你的选球能力进步了,不再只是傻傻地出棒。"钟教练说。

睿瑜喝着奶奶煮的冬瓜茶,感到格外冰凉清甜。

到了六局下,又轮到睿瑜上场打击,此时两人出局,三垒上有跑者,睿瑜必须击出安打才能为球队得分。

"安打安打全垒打、安打安打全垒打、唐睿瑜全垒打。"场边又传来爷爷、奶奶的加油声,睿瑜告诉自己要好好表现。

根据他长年打电动的心得,攻击是最好的防守,接下来看到顺眼的球就要积极出棒。

对方的投捕认为睿瑜会等球,所以第一球就配好球,睿瑜出乎意料地出手,虽然击出的是一个软弱的滚地球,但是对方的防守却措手不及,加上睿瑜拼了命地往一垒跑,形成一支内野安打,三垒上的跑者也安全回到本垒得分。

睿瑜打下制胜的一分,全场响起一阵欢呼。这是睿瑜棒球生涯中的第一支安打。

"原来这就是打安打的感觉,真是太棒了!"睿瑜站在一垒上,听到全场为他欢呼的声音,心中感到很不可思议。睿瑜抬头看向观众席,一眼就看到爷爷在用力拍手,而奶奶则露出一个微笑。睿瑜知道这个微笑的意思,那是在说,睿瑜的确有遵守约定,认真打球。

"我才不想吞下一千根针呢。"睿瑜在心中这么想。

7

棒球比赛两人出局才开始

"奶奶,有没有牙刷?"睿瑜正在整理行李,暑假期间,棒球队要进行集训。时间过得很快,转眼间,睿瑜已经在这里度过一个学期了,过完暑假,睿瑜就升上五年级了。

"我去找找看。"奶奶走向储藏室挖宝。

"还要带毛巾跟袜子。"这次的集训时间长达两个礼拜,他可不想忘东忘西的。

"这次要跟你分开这么久,有点不习惯。"爷爷巴不得自己可以收拾行李,和睿瑜一起去集训。

"才两个礼拜就回来了,不要担心。"睿瑜反过来安慰爷爷，要爷爷放心，这是睿瑜第一次参加集训，他可是期待不已呢。

"爷爷年轻的时候也曾经去受过训练……"糟糕，爷爷又要开始吹牛了。

"爷爷，不好意思，我快要来不及了，下次再听你说吧。"睿瑜赶紧提着背包走出家门。

"爷爷、奶奶再见。"睿瑜向爷爷奶奶挥挥手，怀着期待的心情到球队集合。

"看你的样子，一定不知道集训的内容吧？"看到睿瑜兴奋的模样，一分头忍不住问他。

"怎样？"睿瑜不解地问。

"这可不是出去玩，而是接受魔鬼训练。"一分头一副过来人的样子，用力地摇摇头说，"每天一大早就要起床跑步，三餐自己煮，练习到很晚才能休息，你会累得一躺在床上就睡着了。去年队上还有几个人因此而离开球队呢。"

"我已经做好准备了，没问题。"睿瑜握紧双拳，一副满怀信心的模样。

"希望结训之后，还能听到你这么说。"一分头说话的样子，让睿瑜觉得很讨厌，哼！他一定要努力撑到最后。

集训的地点是在附近的山上，大家必须过着很艰难的生活，除了三餐必须自己打理，连水也要自己去山上打来，睡觉时也只能将睡袋铺在地上将就一下，光是看到这个环境，就知道这两个礼拜不好受了。

"今天是我们集训的第一天，不要吓到你们。"钟教练摩拳擦掌地说，"先去跑步，先跑上山再下来，最慢的两个人明天要负责去打水，打水的人，早上五点就要起床，去山上提一桶水下来。"

"这样还没吓到大家？"睿瑜在心中嘀咕着，真的是魔鬼训练营。

睿瑜虽然跑步速度不错，但是耐力不足，到了后半段就减慢速度，当他回去时，全部的人都已经回到山下了，所以他必须肩负起打水的责任。

光是跑步上山下山，就已经让他的体力透支了，但是钟教练才没这么轻易放过他们，接下来要练习滑垒，钟教练以地上的树根当做垒包，要全队的人围成一圈跑向树根垒包，依序滑垒，这个动作看似简单，却很耗费体力。

"动作变慢了，快一点。"钟教练大声地说，让大家想喘口气又怕被骂。

到了晚上，睿瑜连吃饭的力气都没有，还要自己煮饭。

果然如一分头所说的，睿瑜一沾到枕头就累得睡着了，隔天凌晨五点又要起床去提水，这段路途不短，回程又要提着沉重的水桶，真是一件吃力的工作，和睿瑜一样跑得最慢要提水的同伴，是队上的外野手志纬。

"你之前有参加过集训吗？"提水下山时，睿瑜问志纬。

"有啊，去年参加过一次，累得让我准备要离队了，但是告诉你，努力撑到最后，你会很有成就感喔。"虽然水桶很重，志纬还是满脸笑容。

"我已经快不行了。"睿瑜手脚酸痛，简直快累死了。

"才第二天而已，加油。"志纬说。

"平常的训练就很累人了，还要早起提水。"睿瑜向志纬大吐苦水。

"就当成我们是在接受特训吧。"志纬说，"你知道吗,以前集训时负责提水的人都是大炮,因为他比较壮,跑步也比较慢。可是经过集训之后,他上垒的速度竟然也变快了。"

"完全无法想象大炮队长跑步最慢、上山提水的模样啊。"睿瑜听完志纬的话,心中释怀许多。

就像志纬说的,当做是在接受特训吧。

将水提回去之后,连休息的时间也没有,马上又要进行晨操了。一连串的辛苦磨练,睿瑜都努力咬牙忍过去了。过了一个礼拜,睿瑜渐渐能够适应集训生活了。

今天早上乌云密布,一副山雨欲来的样子,让睿瑜心中暗自窃喜,说不定可以因雨休息一天,美梦如果能够成真,那可就太棒了。

做完晨操之后,果然开始下起雨来,睿瑜正准备进屋躲雨,却看到钟教练不动如山地说:"现在来做守备练习。"

"可是,现在在下雨啊。"睿瑜小声地说。

"下雨又怎样?正规比赛的时候常常下雨,如果裁判没有宣布暂停,你都必须留在场上比赛,如果因此而发生守备失误要怎么办。"钟教练说,"这场雨来得正是时候,可以让你们练习雨中守备。"

想不到钟教练竟然会如此铁石心肠,以前他还觉得钟教练是个好人呢,真是识人不清。

淋了一个早上的雨,睿瑜觉得头有点痛,喉咙也在发痒,很像是感冒的前兆,可是钟教练没有喊停,他也不敢说话。看看身旁的队友,似乎也快要撑不下去了。只要雨再下得大一点、防守的范围再大一点,就会有人放弃或者是倒下了。

当睿瑜摇摇欲坠,感觉到自己快要不支倒地的时候,突然听到钟教练大声地说:"像你们现在这样漫不经心,下点雨就吃不消,要怎么参加大赛啊?如果能够赢得冠军,就可以到大陆参加少棒大赛喔。"

"去大陆?"钟教练的话,让睿瑜精神为之一振,如果去大陆比赛,就可以请爸爸妈妈来看比赛了,不是吗?

"钟教练,我想要参加少棒大赛。"睿瑜眼神中露出坚毅的光采,他想让爸爸、妈妈看到他为棒球而发光发热的样子。

"很好,想参加的人就继续练习,不要放弃。不想练习的人就离开,没有人会留你。"在场没有人移开脚步，只有积极练习的声音和身影。钟教练点点头，看来，大家都想继续打球。

钟教练给他们的训练也更加严苛，不但练习的时间延长，所受的训练要求也更高，他们必须不厌其烦地练习战术和守备技巧，还要进行各种肌力和耐力的训练，每个人都很努力地忍耐着直到结训那一天。

漫长的两周魔鬼训练终于结束了，睿瑜背着行李回到家中，一踏进奶奶家的门口，就闻到好熟悉的饭菜香。

"爷爷奶奶，我回来了。"睿瑜大声地说，踏进家门的那一刻，他突然感到好轻松、好自在。

"我的乖孙啊，怎么晒得这么黑啊？"一听到睿瑜的声音，奶奶立刻从厨房冲出来。

"有吗？"睿瑜看看自己的双臂，似乎真的黑了不少。

"好像也变壮了。"爷爷说，"怎么才两个礼拜不见，你就长大了。"

"这两个礼拜真的好辛苦喔，不过钟教练说我们只要赢得全台湾大赛的冠军，就可以去大陆参加比赛。"

睿瑜将这两周受到的训练，和钟教练说的话一字不落地说给爷爷奶奶听。

"打棒球真不简单，要这么辛苦地练习啊。"爷爷万分钦佩，觉得自己的孙子真是了不起。

"如果能去大陆比赛，就可以看到爸爸、妈妈了。"这是睿瑜心中打的如意算盘，"就像奶奶说的，要用棒球来告诉爸爸妈妈，他是让他们骄傲的宝贝。"

全队经过暑假的集训，犹如脱胎换骨一般，充满了斗志。

暑假结束之后，全台大赛就开打了。

"如果你们连第一关的地区初赛都没办法通过，就别想后面的全台大赛，甚至是少棒大决赛了。"钟教练说，"下礼拜开始，我们要和县内的球队进行初赛，是采取积分制的，希望你们可以全力以赴。"

"接下来我要公布下礼拜出赛的首发名单，我们有一些很优秀的六年级学长都毕业了，所以棒次和守备位置都必须做一些调整，这次的调整，我是依据你们在暑假集训时的表现所做出的安排。"投捕搭档没有变化，依然是五年级的庄保力和郭一昌，一垒手和二垒手分别由六年级的猴子学长和小邦学长先发，游击手则是由一分头担任。

"智胜你当开路先锋，打第一棒，努力上垒喔。"教练让一分头担任开路先锋，睿瑜真是羡慕一分头可以受到教练的赏识。

"至于三垒手……"钟教练停顿了一下，睿瑜心中期盼他能念出自己的名字，毕竟努力这么久，他很希望自己能出现在首发名单上面。

"唐睿瑜，你打第三棒。"天啊！他不但出现在首发名单里面，还是中心打线的第三棒。

"谢谢钟教练。"睿瑜感觉到自己热泪盈眶，眼泪快掉下来了，怎么办。虽然睿瑜没有哭出来，但是在他的心底早就滴下泪来了。这是钟教练送给努力不懈的他最好的礼物。这段记忆会不会成为他棒球生涯中最难忘的一刻呢？

"这是你努力后应得的。"钟教练拍拍睿瑜的肩膀后，继续公布名单，"大炮守右外野，打第四棒。"四年级的强棒苇苍，负责镇守左外野，至于甘蔗学长则负责防守中外野。

这一天睿瑜是跳回家的,奶奶正坐在门口,用大铁锤把收集的铝罐一个个打扁。

　　"奶奶,今天钟教练选我当三垒手,打第三棒喔。"睿瑜开心得大叫。

　　"第三棒是很厉害的意思吗?"其实奶奶对棒球一知半解,是因为睿瑜喜欢,她才知道棒球是三个好球叫三振、四个坏球要保送、还有三人出局就结束了。

　　"打棒球最厉害的人,都是排在三四五这三个棒次喔。"睿瑜骄傲地说。

　　"为什么不把最厉害的人排在第一棒和第二棒呢?"奶奶问,像考试就要考第一名和第二名,最厉害的人不会排在第三四五名。

　　"第一棒和第二棒要排上垒率高一点的人,等他们上垒之后,第三四五棒就要负责打安打和全垒打,让他们跑回本垒,这样才会有分数啊。"睿瑜向奶奶解释。

　　"所以睿瑜打第三棒就是很厉害的意思啰。"奶奶终于懂了。

　　"对,像Lanew熊的陈金锋就是打第四棒而不是第一棒喔。"睿瑜用台湾职棒的选手举例说明,让奶奶更容易了解。

"我知道了,兄弟象的那个恰恰也是打第四棒对不对?因为他最厉害。"奶奶很得意地举一反三。

"奶奶,你也知道谁是恰恰喔?恰恰就是彭政闵,职棒联盟三连霸的打击王。"

"我知道啊,他就是眼睛小小,在奥运打全垒打的那个恰恰嘛。"奶奶说,"我还知道有一个投手叫王建民啦!"虽然奶奶不懂棒球,但是都有看新闻啦。

"奶奶真厉害。"睿瑜很高兴能和奶奶聊棒球的事情,很有趣呢。

全台大赛地区初赛,在依旧骄阳如炙的九月天展开了,尤其是台东地区,仍然像盛夏时期一样热,球员们除了要应付场上对手,还要对抗炎热的天气,幸好有睿瑜的奶奶煮的冰凉冬瓜茶,才稍微消除一点暑气。

睿瑜的学校不负众望,取得全国大赛的复赛资格,接下来要移师到台北进行复赛,每个人都显得相当兴奋,因为全队除了睿瑜,没有人去过台北。

"睿瑜,台北有什么好玩的?"大家在确定取得复赛资格之后，都围在睿瑜身边打转，想知道更多关于台北的事情。

"台北什么都有，不管你想要玩什么、吃什么，那里都不缺。"突然要睿瑜描述自己从小居住的地方，他脑子里却一片空白，除了刚搬来这里的那一段时间，很想念台北，现在他已经很少想起那里的生活了。

"那你有坐过地铁吗？"甘蔗学长问。

"有啊，我以前去补习都要坐地铁。"睿瑜点点头。

"哇，你才小学就要去补习喔。"队友惊呼，似乎很难想象小学到底要补什么东西。

"对啊，我还要去学小提琴、围棋、珠算、美语……但是那些才艺我都不喜欢，我只喜欢打棒球。"睿瑜的话让队友很惊讶。

"台北人真的竞争很激烈啊。"大炮学长说，其他人似乎也深有同感。

"嗯。说得也是，以前在台北不补习的应该是怪胎吧，不过在这里的人，是连去补习都感到不可思议，想法差异很多。"

"睿瑜你要负责带我们去玩啊。"猴子学长说，这可是他们第一次去台北呢。

"你们是去旅游的吗？"钟教练突然出现，狠狠地敲了大家的头。

大家面面相觑，不敢说话。

"比赛结束之后，我会让睿瑜带大家去玩。"钟教练说，"但是在这之前，你们得先好好比赛，知道吗？"

"知道了。"大家齐声回答钟教练，但是心中早已抱着雀跃的心情，要去台北逛一逛啦。

大伙儿坐上巴士前往台北参加比赛，还没到达台北之前，就可以先看到高耸矗立的台北一〇一大楼，进入台北市区之后，琳琅满目的商店招牌和高楼大厦，更是让大家开足了眼界。

"这就是总统府啊！""台北人走路好快喔！""车子好多喔！""这栋大楼有多高啊？"诸如此类的惊叹声不绝于耳，大家都目不转睛地看着车窗外的景象，只有睿瑜一个人静静地不说话，没想到自己是为了参加棒球比赛才又回到台北，回想过去一年在奶奶家的情景，和台北的生活相差甚多，连他自己也改变了不少。

"睿瑜，那是什么？"一分头的话打断睿瑜的思绪。

"那个就是地铁。"睿瑜抬头一看，他以前都是坐这一条路线的地铁去补习呢。

"有的地铁在地底下，有的就做成高架式的。"

到了饭店，大家的惊奇之旅还没有结束，因为这也是他们第一次住在饭店里面。

"今天早一点休息，明天才有精神比赛。"钟教练分配房间钥匙时告诫大家。

进入房间之后，有人在柔软的大床上跳来跳去，也有人跑去浴室参观赞叹着大浴缸。

睿瑜打开电视，才想到自己已经好久没看那些夸张又血腥暴力的新闻了。他转到体育台，正好在播棒球比赛，大伙儿也跟着他挤在床上看电视。

"台北的电视好多台喔。"大家拿着遥控器拼命换台，一百多个频道让他们看得眼花缭乱，他们兴奋得睡不着觉，一直玩到半夜。

隔天一早比赛之前，钟教练先向大家训话。

"复赛和初赛不同，采取单淘汰制，只要输球就要打包回家，所以一点都不能松懈，希望你们今天能拿出实力好好表现。"

比赛前有一段时间可以让他们先上场练习,顺便熟悉场地。

"哇,台北的球场连草皮都很漂亮。"大伙儿踏上球场,还有点舍不得踩草皮呢。

练习一会儿之后,大家已经渐渐适应这个场地,也比较得心应手。

这次比赛遇上的对手,是桃园县中山小学棒球队,抽签之后由中山小学担任客场先攻。

"桃园县中山小学客场先攻、台东县春风小学主场后攻。"裁判大声宣布。

一局上,中山小学就攻势猛烈,加上春风小学的防守失误,让中山小学以二比零领先,一局下改由春风小学进攻,也未能突破对方投手和守备,三上三下结束这一局。

一局结束之后,钟教练将全部的队员集合,臭骂了一顿。

"守备失误、打击不振,你们真的打算来台北打一场比赛就回台东吗?"钟教练看到球员的状况明显不佳,忍不住生气了。

接下来投手虽然被击出几支零星安打，但是守备很帮忙，都没有再失分。

由于中山小学是出了名的投手名校，投手实力强大，睿瑜和队友们都很难突破，只靠大炮的一支阳春全垒打以二比一落后。

到了最后一局，仍然是二比一的僵局，只剩下最后一次进攻机会了。这次刚好由第一棒的一分头开始打起，可惜第一棒的智胜和第二棒的投手都未能上垒，接下来轮到第三棒的睿瑜。

"没关系，棒球比赛两人出局才开始。"队友互相打气，这是棒球场上的名言，有很多经典的赛事，都是在两人出局之后才逆转的，这可能和对方投手和守备心情较为松懈有关吧。

睿瑜今天第三次上场打击，前两次都是以滚地球刺杀出局，这一次要是他再出局，全队就得打包行李回台东了。

身为最后一个出局数的压力很大，但是奇迹也在这时候出现了。

睿瑜第一球就出其不意地挥出一支德州安打，他顺利跑上二垒,接下来是大炮,只要大炮挥出一支长打就可以追平比数了。不过对方投手似乎也洞悉了睿瑜他们的想法,策略性地以四坏球保送大炮上垒,引来大家的嘘声。

这时,钟教练决定更换代打,替换上场的是和睿瑜一起提水的伙伴志纬。志纬平时在队上的首发机会不多,所以格外珍惜每一次上场的机会,他已经六年级了,这也是他最后一次参加比赛了。全队的希望都系于志纬身上,击出安打他就是英雄,出局就得和全国大赛说声"Bye-Bye"了。

对方投手也格外小心投球,一球一球地对决,来到两好三坏的球数。此时志纬击出一支靠近边线,俗称"车布边"的飞球,裁判举起左手裁示为安打,睿瑜和大炮早就死命向本垒跑,双双回到本垒得分,这是一支再见安打,志纬也变成全队的大英雄,大家将他高高抛起再放下。

"棒球真的是两人出局才开始的!"志纬对睿瑜大声地说,睿瑜也用力地点点头。

比赛结束后回到饭店,没有人敢再熬夜不睡觉,都希望以最好的状态面对接下来的比赛，免得像今天这样一个不小心，差点就输球回家了。

"进入球队以来，这是我第一次打入全台大赛。"睡前大家躺在床上聊天，首次进入复赛，对大家来说都是很特别的体验。

"对啊，如果我们可以一直赢下去，爸爸妈妈一定会很开心的。"大家在脑海中描绘自己光荣返家的样子，光是用想的就很开心。

"其实我一直很希望可以赢得全台大赛，因为我的爸爸、妈妈在大陆工作，没有时间回台湾看我，所以我想要去大陆找他们，打棒球给他们看。"睿瑜也说出自己内心真正的愿望。

"为了帮睿瑜达成愿望，我们一定要加油。"投手说。

"好，明天没有打安打的人要请客喔。"大家说好都要为球队建功，不只是帮助睿瑜，也让自己的美梦成真。

睿瑜的球队一路过关斩将，终于打入四强赛。只要打赢接下来的比赛，就可以进入冠军战，如果输了，就得和另外一支队伍争夺第三名的位子。

"我们只要再打赢两场比赛就可以去大陆。"钟教练说，"不过，我们接下来要面对的对手，是去年的冠军队伍。"

大家听到这个消息，都显得很丧气。

"如果要说我们倒霉，我们到了四强赛才遇到他们已经算幸运了。如果要说我们幸运，他们是去年打败美国冠军的队伍。"钟教练说，"这一次我们遇到的，是实力很强的队伍，就算我们不幸输了，也会是很好的比赛经验，所以请你们不要让自己后悔，尽全力打一场好球。"

队员知道这一次碰到的对手很强，却不因此而退缩，反而兴致勃勃、迫不及待要和对方交手了。

"台东县春风小学客场先攻、台南市崇德小学主场后攻。"

这一次春风小学担任客队先攻，对方的投手就是去年对抗美国队的王牌投手，第一局没有人打得到他的球，三上三下结束这一局。不过春风小学的投手也不遑多让，以快速球和慢速的大曲球，让对手打不出好球。

虽然春风小学一开始被去年冠军队伍的气势吓到，

而且对方球员身材方面极占优势，个个都比春风小学的队员高大，不过他们马上稳住阵脚，不让对方有得分的机会。比赛一直僵持到第七局都是投手战，双方比数挂零。

睿瑜无法突破对方的防线，击出的球都被对方接杀，就连大炮也打不出拿手的长打，打完第七局还是没有得分，如果下一局能守住不被对方得分，就要进入延长赛了。现在也只能期盼守住这最后一局，才有进入冠军战的希望。

少棒的比赛都在白天举行，炎热的太阳也是他们必须对抗的因素之一，而且又少了奶奶的冰凉冬瓜茶，炎热的天气更令人难以忍受。经过连续多日的比赛，大家都疲惫不已，身上也多多少少带着伤，但依然不愿意轻言放弃，一心只想要赢得胜利。

睿瑜心中想着，只要赢得比赛，就可以见到爸爸、妈妈了，即使再累，也要咬着牙撑下去。

七局下半，对方第一位打者以一支内野安打上垒，之后的打者以牺牲触击推进他上二垒，接着再以一记高飞牺牲打推进跑者上三垒。目前两人出局，一人在三垒。只要再解决一名打者，就可以进入延长赛，如果被打安打就会结束比赛，崇德小学将获得胜利。

这时的球数是两好球没有坏球，投手领先的状况下，打者还是积极地出棒，他一棒将球挥出去，从二三垒之前穿出去，站在三垒附近的睿瑜，即使扑倒在地上也无法接到这一球，这是一支再见安打，比赛结束，崇德小学赢了。

睿瑜从地上缓缓地爬起来，看着对方的队友们抱在一起欢呼，他默默地拍拍身上的尘土，走回自己的休息室去。

"bye-bye，少棒大赛。"睿瑜在心中对自己说，他不知道原来输球是这种滋味，那种失望落寞的感觉，真的好难受。

休息室里一片低气压，输了球没有人想开口说话，也没有人起身收拾东西。

"是我的错，打击没有好好发挥。"大炮队长难过地开口，如果他能发挥擅长的长打就好了。

"是我没把球投好，让对方打出安打。"投手也自责地说，前面投了六局好球，却在最后一局破功。

"不，是我的错。"睿瑜说，"如果我能把最后一球挡下来，就不会丢分了。"

"打棒球哪有不丢分的，而且你们遇上的是去年的冠军队伍，第一次打入全国大赛有这种成绩，我已经感到很骄傲了。"钟教练看到孩子们一个个责怪自己，赶紧安慰他们。

"对啊，虽然不能去大陆打大赛，让睿瑜和他爸爸、妈妈见面，但是我们要把季军奖杯拿下来，给大家看。"一分头大声地说，鼓励大家不要被这一次的失败击倒。

"没错，接下来的季军赛要努力，这才是现在最重要的事。"钟教练说。

大伙儿又渐渐恢复士气，他们不想被失败打倒，只是一次的比赛输掉，就这样倒下太不像话了。

"郭泰源也曾说过'怕输就不会赢'，我们是不会被这一次的失败打倒的。"队长大炮对大家说，希望可以汲取这一次输球的经验，赢得下一场比赛。

虽然是输球，士气却更强了。这才是一支好球队该有的态度吧！

8

最喜欢爷爷和奶奶

"奶奶，我们明天要打季军赛，打完之后就可以回家了。"睿瑜在电话的另一端告诉奶奶。

很奇怪，才在台北待了一个礼拜，他已经开始想家了。他怀念奶奶傍晚时烧菜的味道，也想和爷爷手牵手去杂货店买糖果。他迫不及待和奶奶分享比赛的事情，包括赢球的喜悦和输球的遗憾。

"如果昨天那一场比赛没有输，我也许有机会去大陆找爸爸妈妈。"睿瑜还是很在意输给崇德小学这件事情，因为输球，让他的美梦破灭。

"傻孩子，如果人生都是如你的意，你会无聊到哭出来吧。"奶奶说，"人生总是在转角处遇到美丽的风景，不要泄气。"

奶奶难得说出这么有哲理的话，睿瑜紧握着话筒点点头，他明白奶奶的意思。不管能不能让爸爸妈妈看到他打棒球的样子，他都要全力以赴打好每一场球赛，这是他和奶奶的约定，也是他最想要做好的事情。

季军赛的这天，依旧是艳阳高照，是个适合打棒球的好天气。对手是台北市的高立小学，对方以打击火力见长，所以春风小学针对这一点，在守备方面做了很多准备，他们事先调查对方每一位选手打击的习性，调整守备的站位和配球模式。由于睿瑜的守备经验比较少，教练派出队上较有出赛经验的三垒手先发，今天这场比赛，睿瑜只能先坐冷板凳。

"台北市高立小学客场先攻，台东县春风小学主场后攻。"裁判宣布之后比赛就开始了。

此时场边传来很大的加油声，原来都是高立小学的拉拉队，这就是主场优势，球员们的家人朋友都到现场为他们加油。春风小学在气势上落后对手一大截，但是想要获胜的心情绝对不输给他们。睿瑜很羡慕对方球员的家人都可以到现场为他们加油呐喊，看他们努力打球的模样。

　　第一局因为投手不稳，加上一垒手猴子学长的守备失误，春风小学落后对手两分。不过之后投手和守备开始稳定下来，接连三局都没有再让对手得分。春风小学的打击被高立小学的投手封锁，接连两局都没有得分。在第三局下半时，第九棒的甘蔗学长上场缠斗许久，第一支安打终于出现了，接着第三棒被保送上垒，第四棒的大炮适时击出一支安打，比数追到二比一。

　　第四局下半场，首位上场的第六棒打者猴子学长，击出一支二垒安打，弥补他在第一局出现的守备失误，接着第七棒捕手推进猴子学长上三垒，第八棒的小邦学长又击出一支安打，送猴子学长回本垒，终于追平比数二比二平手。不过第五局和第七局又被高立小学各追回一分，目前以四比二领先。比赛来到第七局下半，如果这一局春风小学不能连得两分，比赛就结束了，由高立小学获胜。

睿瑜拿着球棒到旁边练习热身，说不定教练会叫他上场代跑或是代打。对方投手突然发生不稳，先保送第五棒的苇苍和第六棒的猴子学长上垒，第七棒的捕手又适时挥出左边方向的安打，追回一分。只要再一支安打，就可以追平比赛。

此时教练对睿瑜说："唐睿瑜，你上场代打。"

睿瑜点点头，感激教练将这个重要的打击机会交给他。他一定要打出安打，为球队建功。

睿瑜建功心切，将球击成游击方向的飞球被接杀，形成一出局，并没有任何推进的效果。睿瑜垂头丧气地走回休息室，这么重要的打击，他竟然没有好好把握。接着第九棒的甘蔗学长也被三振形成两出局，只要再一个人出局，比赛就结束了。此时轮到一分头上场打击，他前面三次打击都被三振，领了三张老 K。

"不要拿'铁支'呀！"休息室里，甘蔗学长为了化解一分头的紧张，故意这么开玩笑。"铁支"就是拿到四次三振的意思。

"三条 K 就够了啦！"一分头拿着球棒走出休息室，他才不想再被三振呢！

他小心翼翼地选球，一好球一坏球时，相中一颗投手偏高的好球，出棒，是一支穿越安打。二垒上的猴子学长快跑回本垒，比数再一次追平，双方四比四平手。双方必须进行延长赛，八局上，高立小学三上三下没有建功。八局下，对方投手又四坏球保送第三棒，轮到大炮上场打击，众人屏息以待，期待大炮击出长打。可惜这次大炮只击出一个游击后方的飞球被接杀，一出局。轮到第五棒的苇苍上场打击，击出一支右外野的安打，形成场上一三垒有跑者的局面。在这个紧张的局势下，投手又故意四坏球保送第六棒的猴子学长，形成满垒，准备抓三垒的跑者。可惜第七棒的捕手这一次没有建功，打出一支二垒飞球，垒上没有人敢跑。又是两出局，轮到睿瑜的打击。

比赛成败再一次系于睿瑜的手上，他拿着球棒走到场上，此时突然从观众席传来一阵加油声。

"安打安打全垒打，唐睿瑜全垒打。"在拥有主场优势的高立小学的巨大加油声中，这阵加油声显得格外响亮。

睿瑜抬头一看，是爸爸和妈妈。他不敢相信，再仔细地看清楚，真的是爸爸妈妈。不可能，他们怎么会出现在这里，他是在做梦吗？爸爸、妈妈向他挥挥手，真的是他们没有错。

睿瑜紧握球棒，心中充满感动，他一定要好好表现。这是他的愿望，原本以为破灭的愿望竟然达成了，他要打一场好球给爸爸、妈妈看。睿瑜击出一个三垒方向高弹跳的滚地球，刚好飞过三垒手的手套，形成一支安打，这是一支再见安打，春风小学以五比四逆转比数，获得季军。

全部的队员跑出休息室，扑向跑回本垒的选手和击出制胜安打的睿瑜，睿瑜流下喜悦的泪水，他做到了。

比赛结束之后，他立刻奔向观众席找爸爸妈妈。

"爸爸、妈妈，你们怎么会来这里？"这是睿瑜心中最大的疑问，爸爸、妈妈应该不知道他今天在这里比赛的事情。

"昨天奶奶打电话把我们臭骂一顿，说我们只顾赚钱，都不关心你，还说你很认真打棒球，叫我们一定要回来看你比赛。"妈妈很不好意思地说，"我都不知道你喜欢打棒球呢。"

"原来是奶奶说的,那你们这次要待多久?"睿瑜当然希望爸爸、妈妈可以陪伴在他的身边。

"看完你的比赛之后,我们就要赶回大陆去了。"爸爸的话又让睿瑜雀跃的心情落到谷底。

"不过你放心,我们这次回去是要处理好工厂的事情,处理好之后,就会来接你一起过去。"妈妈说。

"去哪里?"睿瑜问。

"当然是去大陆和我们一起住。"爸爸说,"你有没有很高兴啊?"

"可是我已经习惯和爷爷、奶奶住在一起了,我也不想离开棒球队。"睿瑜在心中大声地呐喊,但他并没有说出口,只把这个想法埋在心里。

接着爸爸、妈妈又赶回大陆去了,他们保证下次回来,就是把他接去大陆的时候,睿瑜落寞地回到球队。和众人胜利的雀跃心情相比,睿瑜显得闷闷不乐。

"怎么了?你是胜利打点,爸妈又从大陆赶回来替你加油,这样还不开心啊?"一分头发现睿瑜不太对劲,开口问他。

“我想我可能要离开棒球队了。”睿瑜小声地说，不想让其他人听到。

“为什么？”一分头惊讶地问。

“我爸妈想要把我接去大陆一起生活。”睿瑜说。

“那你想去吗？”一分头问。

“我想和爷爷、奶奶住在一起，也想继续打棒球。”睿瑜说，“可是，小孩子是不是要和爸爸、妈妈住比较好。”当父母不在身边的时候，睿瑜真的很想念他们。如果因此要和爷爷、奶奶分开，他又感到万分不舍，到底该如何是好呢。

钟教练履行承诺，比赛结束之后，让睿瑜带着大家逛逛台北，睿瑜带着大家坐地铁，去淡水和士林夜市，还逛了最有名的台北一〇一大楼。坐地铁时，有人被困在入口不知道怎么进入。去众人期待的台北一〇一大楼，大家反而显得意兴阑珊，因为那里面全是名牌，他们又买不起。最让大家瞠目结舌的要算是士林夜市了，人多到爆炸，真想知道这些人是打哪里来的。

大伙儿在台北玩到心满意足，才带着大包小包的行李回台东。

当巴士从台北开回台东时,睿瑜仿佛掉入时光隧道,回到第一次搬来台东和爷爷、奶奶居住的情景。景色依旧, 他的心情却完全不同。他喜欢每天练习棒球练到筋疲力尽再回家。他喜欢每天回家时, 奶奶已经煮好热腾腾的饭菜等他。他喜欢吃完晚餐之后, 和爷爷一起讨论棒球的事情。他喜欢在这里的每一天。

回到奶奶家,睿瑜紧紧地抱住爷爷和奶奶。

"听说球队是因为你才赢的,真是厉害。"爷爷很得意地说,"不愧是我的孙子。"

"又在给自己脸上贴金了,请问你以前有打过棒球吗?"奶奶立刻打趣道。

"我只是欠栽培,不然王贞治也要靠边闪。"爷爷大言不惭地吹嘘着自己年轻时代跑步有多快,力气有多大。

"不要理你爷爷,我跟你说,奶奶要送你一个礼物。"奶奶将睿瑜拉到旁边,打开电视给睿瑜看。

电视上正在重播着体育台的棒球比赛。

"我们家怎么会有第四台?"因为这个地方比较偏

远,有线电视工作人员从没有到这里装机过。

"这样你就可以看到美国和台湾的棒球比赛了。"奶奶说,"你要常常看别人是怎么比赛的,把别人的技巧学起来,才会越来越厉害。"

"会不会花很多钱?"奶奶是个很节俭的人,平时连吃不完的饭菜都舍不得倒掉,这次却花钱装第四台。

"你放心,这点钱奶奶还出得起。"奶奶要他别担心,尽管看就是了。

睿瑜知道这是奶奶疼爱他的方式。不过睿瑜留在这里的时间不多了,爸爸、妈妈几天之后就打电话来告诉奶奶,他们要把睿瑜接去大陆的事情。奶奶默不做声地挂上电话,睿瑜猜奶奶已经知道他要离开了。

"奶奶您今天煮的菜苦苦的啊。"睿瑜故意皱着眉头说。

"怎么会,我的菜很新鲜啊。"奶奶将菜夹入口中,吃吃看有没有坏掉。

"因为您的脸好像苦瓜脸,所以菜吃起来也苦苦的。"睿瑜说。

"瞎说,我哪有苦瓜脸,你才是包子脸。"奶奶说。

"包子脸也是您养出来的，谁叫您这么会煮菜。"睿瑜笑嘻嘻地说，"奶奶，您是不是舍不得我离开，所以才会一副苦瓜脸啊？"

"小孩子都是要和爸爸、妈妈在一起的啊。"奶奶故意轻描淡写地说，不想表现出太多的不舍。

"可是我想和你们在一起。"睿瑜放下碗筷，低着头说。

"傻孙子，爷爷、奶奶不可能照顾你一辈子。"奶奶说，"奶奶会越来越老，爷爷会连路都走不动，要换你照顾我们喔。"

"我不要，奶奶变老了，换我煮菜给您吃；爷爷走不动了，我可以背他去散步。"睿瑜哭叫着说，"为什么你们要把我当成皮球踢来踢去？我好不容易适应这里了，你们又要我搬去别的地方。"

"你怎么会是皮球呢？你是爷爷奶奶的心肝宝贝。"爷爷说。

"刚开始我不想和爸爸、妈妈分开，妈妈叫我要乖，所以我乖乖地转学了。现在我交到好朋友了，也习惯和你们住在一起了，才说要带我一起去大陆，我觉得

大人真的好自私!"睿瑜把心中的不满和委屈都说了
出来。

"不然我跟妈妈说,等你这学期念完再接你去大陆,
不要这么急。"其实奶奶也很舍不得将睿瑜送走。

后来爷爷打电话跟妈妈说,至少让睿瑜念完这个
学期再离开这里。现在是十一月,反正再过两个月这
学期就结束了,爸爸妈妈也欣然接受了这个提议。

睿瑜努力不浪费这短短的两个月,尽情地打棒球、
享受大自然的美丽、享受爷爷、奶奶的疼爱。不过再快
乐的时光也有画下句点的一天,睿瑜的爸爸、妈妈决定
在结业的当天把睿瑜接走。

结业的当天,老师向全班宣布这个消息,睿瑜也正
式退出棒球队。

"各位同学,虽然在这里只有短短的一年,但是我
很庆幸可以和你们成为同学,度过很开心、很充实的一
年。"睿瑜努力忍住眼泪说。

"唐睿瑜,你不可以忘记我们的。"班长美嘉说。

"我会写信给你们。"睿瑜点点头,在这里的一切,
他绝对不会忘记的。

班上弥漫着一种离别的气氛,他就是怕这个情景,所以才会一直忍着不说,不想太早告诉大家他要离开的消息,睿瑜觉得自己的心好像被折成两半,但是接着还要再被折一次,他还要向棒球队的朋友告别。

　　"唐睿瑜,你是一个很好的三垒手,如果可以,去了大陆就继续打棒球。"教练拍拍睿瑜的肩膀说,"到时候可不要丢我的脸,知道吗?"

　　"我知道了。"睿瑜点点头。

　　"大陆的棒球虽然不盛行,但是最近也渐渐开始重视棒球这项运动了,好好加油。"教练希望睿瑜不要放弃棒球。

　　"球来就打,不要想太多。"这是大炮送给睿瑜的临别赠言,虽然短,却字字珍贵。

　　"小刀也可以砍倒大树,希望下次还可以在球场上碰面。"志纬依旧露出憨厚的笑容向睿瑜道别。

　　一分头从刚刚在班上就不发一语,现在到了球队还是不说话。虽然他早就知道睿瑜会离开这里,但是对他来说,还是太快了。睿瑜和大家道别之后,看了一分头一眼,就转身离开了。他还要回家收拾行李,明天他就要和爸爸妈妈坐飞机去大陆了。

其实睿瑜的行李不多，不必花太多时间收拾。他看着自己的房间，这个陪伴他一年的房间。他曾经在这里掉下寂寞的泪水，也曾经在这里想出各种古灵精怪的方法。

他轻轻撕下墙上的王建民海报，那是爷爷送给他的礼物，他要带去大陆，贴在新的房间里面。睿瑜故意慢慢地收拾着行李，好像这么做，就可以把离别的时间延长。

"这个是你最喜欢吃的东西，带去大陆吃。"爷爷特地去杂货店买了一堆睿瑜平时爱吃的零食，要让他带去大陆。

"去大陆再买就好了。"妈妈说，"这样行李会太多。"

"我要带在路上吃。"睿瑜虽然知道在别的地方也买得到这些东西，但是他就是想吃爷爷帮他准备的零食。

"好吧。"妈妈看到睿瑜的样子，也不再坚持自己的意见。

"大陆的天气不像我们这里这么温暖，你要多穿点衣服,知道吗？"奶奶紧紧握着睿瑜的手,舍不得放开。

"好。"睿瑜用力地点点头,想把爷爷奶奶的模样深深烙印在脑海中。

"爷爷,您现在已经可以一个礼拜只抽一包烟了,下次回来我要检查,看您有没有进步喔。"睿瑜心中最放不下的,就是爷爷的身体状况。

他想到上次爷爷跌倒时的情景,千万不要再发生第二次了。

"好,我等你回来检查。"冲着睿瑜这句话,爷爷说什么也要把烟戒掉。

不管再怎么不舍,再怎么拖延时间,离别的时刻还是到了。

睿瑜的爸爸、妈妈帮他把行李放到车上,留下睿瑜和爷爷、奶奶道别。

"我会常常打电话回来的。"睿瑜说。

"不要,国际电话费很贵。"奶奶本着节俭的个性说,"不用常常打电话回来,爷爷、奶奶身体很好,不会生病。"

"如果天气不好,就不要去菜园了。"爷爷连下雨天都会去菜园巡视，不但容易因此感冒，也容易因为路太滑而跌倒。

"你在大陆要乖乖听话，不要让爸爸、妈妈担心。"爷爷说，"等暑假再来找爷爷、奶奶。"

"如果妈妈不肯，奶奶帮你出机票钱。"节俭的奶奶大方地说。

"等到学校一放暑假，我就回来看你们。"睿瑜说。

"好了，不要让爸爸、妈妈等太久，赶快出门。"爷爷催促着依依不舍的睿瑜。

"你们要好好照顾自己的身体，我暑假会回来检查喔。"睿瑜说。

睿瑜坐上车子，看着站在家门外的爷爷、奶奶。

"我最喜欢爷爷奶奶了。"睿瑜忍着眼泪，轻声地说，爷爷和奶奶好像没有听到。

"我最喜欢爷爷奶奶了。"睿瑜大声地重复一次，一字一字让爷爷、奶奶听得清清楚楚。

"爷爷、奶奶也最喜欢睿瑜了。"爷爷大声地说，不过有点口齿不清。

"傻瓜，快点走吧。"奶奶怕他们再不走，自己的眼泪就要掉下来了。

睿瑜的爸爸发动车子，渐渐驶离奶奶家。睿瑜一直用力挥手直到看不见爷爷、奶奶的身影为止，他颓丧地坐在位子上，强忍着不让眼泪夺眶而出。看着每天上下学必经之途，一切都历历在目。

爷爷牵着他的手去买糖果的样子、奶奶带着他去河边洗澡的样子，是他永远都不会忘记的啊！

"睿瑜，那是不是你的朋友？"爸爸突然打断睿瑜的思绪，这么问着。

睿瑜抬头一看，是一分头。

"那是我的同学，也是棒球队的队友。"

爸爸赶紧停车，让睿瑜下车和他们说话。

"我是突然想到，你的球棒忘记拿了。"即使要分别了，一分头还是这么倔强不服输。

一分头手上拿着睿瑜爷爷亲手做的球棒，将他交给睿瑜。

"送给你。"睿瑜将球棒放在一分头的手上。

"谢谢，你还会回来吗？"一分头终于将心中的话说出口，之前他一直忍住不说，是怕睿瑜会难过。

"暑假的时候，再一起打球吧！"睿瑜说，"我一定会回来找你打球的，所以你不可以退步，要越来越厉害喔。"

"我才怕你去了大陆就不打棒球，然后把我们大家都忘记了。"一分头强忍住泪水，大声地说。

"你在季军赛拿三条 K 的事情，我怎么可能会忘记。"睿瑜故意开玩笑，想缓和气氛。

"差一点就铁支了，真可惜。"睿瑜假装很惋惜的样子。

"要是我拿铁支，就没有你的再见安打了。"一分头终于破涕为笑，假装很生气地说。

"你是我在这里的第一个朋友，谢谢你。"睿瑜真诚地说。

"一开始会那样欺负你，是为了引起你的注意，对不起。"一分头说，"不过自从你转学来之后，我每天都过得很开心，我也要谢谢你。"

"我还要谢谢你带我加入棒球队。"睿瑜调皮地说，"能够打棒球比遇见你更让我开心。"

"你真的很欠揍。"一分头说，"你还是快点去大陆吧。"

睿瑜坐上车子,看到一分头在车外用力地挥着手。爸爸发动车子,继续上路。

车子缓缓驶离,睿瑜从后照镜中看到一分头跟着车子奔跑,直到追不上为止。睿瑜忍耐了好久,直到看见这一幕,泪水再也止不住,大滴大滴地往下掉。妈妈拍拍睿瑜的肩膀,让他尽情释放自己的情绪。每一次的离别都令人感到心痛,只是为什么,这一次特别的痛呢?

寒假匆匆地结束了,新的学期开始,一切欣欣向荣。可能是刚过完农历春节的关系,班上的同学都显得有点懒散。

由于是第二学期,同学和老师都是熟悉的面孔,大家难免会提不起劲来。

"各位同学,今天有一位新同学转学到我们班,请大家用热烈的掌声欢迎他。"

"新同学?怎么会有人在五年级的下学期转学?不过,睿瑜现在转学去大陆念书,应该也是同样的情景吧。"一分头在心里这么想着,"新同学,当然要好好欺负他啰。"

"大家好,我叫唐睿瑜,请多多指教。"站在讲台上做自我介绍的转学生,竟然是唐睿瑜,他应该是听错了吧,一分头掏掏自己的耳朵,仔细打量新来的转学生,真的是睿瑜,没错,引起全班一阵惊呼。

"唐睿瑜,你回来干吗?"一分头从椅子上跳起来大叫。

"我妈看你很舍不得我离开,还特地去送行,追着我跑,就叫我回来这里完成小学的学业再说。"睿瑜的爸妈目睹爷爷、奶奶和同学都很舍不得他离开的样子,决定让他在这里念到小学毕业,再决定要不要去大陆。

这个决定是爸爸、妈妈和睿瑜一起讨论出来的,这也是爸爸、妈妈第一次仔细聆听他的心声和想法。

"所以你又要赖在这里不走了?"一分头故作惊讶地说,"一定是你一把鼻涕、一把眼泪地哀求你父母让你留在这里的吧!"

"没错,所以我们还要做一年半的同学,请大家多多指教。"睿瑜开心地说,由于他在上学期末已经办理转出手续,所以这学期再继续留下来念,还是要办理转入手续。

不过这是睿瑜转学转得最开心的一次。因为他可以继续向爷爷、奶奶撒娇,可以继续打棒球,继续和大家一起上学。继续听爷爷吹牛、继续学奶奶的节省妙招、继续参加全台大赛、继续快乐地过每一天。

风,轻轻地吹,吹在睿瑜的脸上。还是这里的风吹起来,最舒服。